Strasbourg doğumlu **Elif Şafak**, çocukluğunu ve gençliğini Ankara, Madrid, Amman, Köln, İstanbul, Boston, Michigan ve Arizona'da geçirdi. ODTÜ Uluslararası İlişkiler Bölümü'nü bitirdi, yüksek lisansını aynı üniversitede Kadın Çalışmaları Bölümü'nde, doktorasını ise siyasetbilimi alanında tamamladı. İlk romanı *Pinhan*'la 1998 Mevlâna Büyük Ödülü'nü aldı. Bunu *Şehrin Aynaları* (1999) ve Türkiye Yazarlar Birliği Ödülü'nü kazandığı *Mahrem* izledi (2000). Ardından her ikisi de çok satan ve geniş bir okur kitlesine ulaşan *Bit Palas* (2002) ve İngilizce kaleme aldığı *Araf* (2004) yayımlandı. *Med-Cezir*'de (2005) kadınlık, kimlik, kültürel bölünme, dil ve edebiyat konulu yazılarını topladı. 2006'da senenin en çok okunan kitabı olan *Baba ve Piç* yayımlandı. Ardından aylarca satış listelerinden inmeyen ilk otobiyografik kitabı *Siyah Süt*'ü yazdı. Doğan Kitapçılık tarafından 2009 Martı'nda yayımlanan *Aşk* Türk yayıncılık dünyasında önemli bir rekora imza atarak, en kısa sürede en çok satan roman oldu. Tüm eserlerinden seçkiler niteliğinde olan *Kâğıt Helva* (2009), gazete yazılarından derlediği *Firarperest* (2010) ve yeni romanı *İskender* Ağustos 2011'de yine Doğan Kitapçılık tarafından yayımlandı.

2010 yılında Fransa'nın Sanat ve Edebiyat Şövalyesi nişanına layık görülen ve eserleri otuz dile çevrilen Elif Şafak'ın romanları, Viking, Penguin, Rizzoli ve Phebus gibi dünyanın en önemli yayınevleri tarafından yayımlanmaktadır.

www.elifsafak.com.tr

M. K. Perker İstanbul'da doğdu. *Gırgır, Fırt, Avni, Hıbır, Leman, Lemanyak, Sabah, Milliyet, Radikal, Star, Yeni Binyıl, Aktüel, Haftalık, Esquire, Cosmopolitan* ve daha birçok yayında çalıştı. 2001 yılında New York'a yerleştiğinden beri çizgileri başta *The New York Times, The Washington Post, The Wall Street Journal, The New Yorker, The Progressive, Mad* ve *Heavy Metal*'de yayımlanmaktadır. Altısı ABD'de yayımlanmış toplam sekiz çizgi roman albümü olan Perker, çizgi romanın Oscar'ı Eisner Ödülü'ne aday gösterilen, Society of Illustrators üyeliğine kabul edilen ilk ve tek Türk çizerdir. Halen *Habertürk* gazetesi ve *Leman* için çalışmalar yapan M. K. Perker'in daha önce ABD'de yayımlanan *Kahire* adlı çizgi romanı Kasım 2011'de Doğan Kitapçılık'tan çıktı.

www.mkperker.com

Şemspare

ŞEMSPARE

Yazan: Elif Şafak

Yayın hakları: © Doğan Egmont Yayıncılık ve Yapımcılık Tic. A.Ş.

1. baskı / Haziran 2012 / ISBN 978-605-09-0799-5
Sertifika no: 11940

Kapak tasarımı: Uğurcan Ataoğlu
Grafik tasarım: Zeynep Oray Özelmas
İllüstrasyonlar: M. K. Perker
Kapak fotoğrafı: Fethi İzan
Baskı: Ayhan Matbaa Basım Sanayi ve Tic. Ltd. Şti.
Mahmutbey Mah. Deve Kaldırım Cad. Gelincik Sok.
No: 6 Kat: 3-4 / Bağcılar - İSTANBUL
Tel. (212) 445 32 38
Sertifika no: 22728

Doğan Egmont Yayıncılık ve Yapımcılık Tic. A.Ş.
19 Mayıs Cad. Golden Plaza No. 1 Kat 10, 34360 Şişli - İSTANBUL
Tel. (212) 373 77 00 / Faks (212) 355 83 16
www.dogankitap.com.tr / editor@dogankitap.com.tr / satis@dogankitap.com.tr

Şemspare

Elif Şafak

M. K. Perker'in çizimleriyle

DK DOĞAN KİTAP

İçindekiler

Gurbet

Gurbet tuhaf bir kelimedir, söyler söylemez ağızda kekremsi bir tat bırakır. Dil üstünde bir katre kaya tuzu, kolay kolay erimeyen. Bir saklı burukluk, kendini hemen ele vermeyen. "Tarif et" deseler, edemezsin. Bir şey hep yarım kalır, bir nokta hep eksik. Kabataslak anlatır ama tam karşılığını bulamazsın. Bir kez telaffuz eder, bir an duraklarsın. Öyle kelimeler vardır ki, istesen bile hafife alamazsın.

Gurbet kelimesini öyle şıp diye bir başka dile çeviremezsin mesela. Farklı farklı kavramlar ve ifadelere başvurursun aynı anlamı yakalayabilmek için. Baktın ki doğrudan aktaramıyorsun, dolaylı anlatımı denersin: Anavatan, sıla, memleket, hasret, uzak, ayrılık, geçmiş... Hepsini kullanmaya kalkarsın bir ya da birkaç cümle içinde, gene de olmaz. Sabun gibi kayıverir avuçlarının arasından kelimenin mânâsı. Rüzgâra yakalanmış uçurtma gibi savruluverir. Tutamazsın.

Bir türlü kelimenin karşılığına denk gelemezsin Batı dillerinde. Uzun yıllardır göç veren, insanlarını ya ekonomik, ya politik, ya dinsel, ya duygusal sebeplerle uzaklara gönderen, sürgünlere yollayan, yokluğuna mahkûm eden toplumlarda bulursun ancak "gurbet" kelimesini. Göç almaya alışkın, gelişmiş ve müreffeh Batı toplumlarının sözlüklerinde yoktur böyle bir tını... Ne de böyle bir hüzün, böyle bir diken gramerlerinde.

Gurbet görünmez bir kıymıktır çünkü, batar etine; derinin altında, parmağının ucunda sıkışmış kalmıştır, yaşar seninle. Çıkarmaya kalksan çıkaramazsın, göstermek istesen onu da yapamazsın. Etin kemiğindir artık, bedeninden bir parça. Ayrılmaz bir uzvundur, ne kadar yabancı, ayrıksı olsa da.

***

Tam yirmi yedi senedir gurbette yaşayan bir Türk aileyle tanıştım. Kapılarını açtılar, yüreklerinin perdesini araladılar. Onlar anlattı, ben dinledim. Fotoğraflara baktık uzun uzun. Artık üretilmeyen kartpostallar, nicedir hayatta olmayan akrabalar, bir gölgeden ibaret anılar, binlerce kez anlatılmış askerlik hatıraları, darbe sonrası memleketimden insan manzaraları...

Torunlar bizimle oturdu, çaktırmadan tebessüm ettiler duygusallığımıza. İngilizceyi su gibi, Türkçeyi aksanlı ve kırık dökük konuşan, anadillerinde hiç kitap okumayan, Türkiye'ye dair kallavi ve sabit fikirleri olan gençler... Türk asıllı İngilizler. Dışarıda çayı porselen fincanda ve sütlü, evde ise muhakkak demli ve ince belli cam bardaklarda içenler.

"Bir gün döneriz" diyor babaları, sonra kaşlarıyla en genç oğlunu işaret ediyor: "Ama bunlar dönmez. Yazları gidince bile yadırgıyorlar."

Köşede oturan yaşlı dede inceliyor beni, konuşmuyor. Kulaklarının iyi işitmediğini, aklının ise bir gelip bir gittiğini söylüyorlar. İlk başlarda ne vakit söz alsam ona da sesleniyorum ama çok geçmeden ben de diğerleri gibi kanıksıyorum onun var ile yok arası sessiz tanıklığını. Bir tuhaf eşya gibi kenarda duruyor. Ben de görmez oluyorum. Çaylar, börekler ve kenarından tırtıkladığım incir tatlısının ardından ayrılmak üzereyken aniden arkamdan birisi sesleniyor. Dönüp bakıyorum ki dede. Yanına gidiyoruz, sesi boğuk bir hırıltı gibi çıkıyor.

Rahatsız ettim endişesiyle birkaç kelime geveliyorum. Ailenin gelini imdada yetişiyor. Yazar olduğumu söylüyor. "Edebiyatçı kısmı böyle meraklı olur" dercesine. Ama yaşlı adam ikna olmuşa benzemiyor, gözleri üzerimde; hatta hafif sinirleniyor bize, ne dediğini anlamadık diye. Tekrar ediyor. Ancak o zaman anlıyorum deminden beri ne dediğini: "Bana niye sormadın?"

Bana niye sormadın hikâyemi? Onlara sordun da bana niye anlattırmadın? Çantamı bırakıp yanına oturuyorum. Ona soruyorum bu sefer seneler evvel buralara nasıl geldiğini. Başlıyor anlatmaya. Söylediklerinden bir şey anlaşılmıyor, sesi bozuk bir gramofondan yükselen eski bir türkü gibi tanıdık, inip çıkıyor. Dinliyorum. Ne anladığımın, hatta ne konuşulduğunun bile önemi yok. Önemli olan onun anlatıyor olması. Ayrılırken bir cümleyi yakalayıveriyorum. Dişsiz ağzından topladığım birkaç hece düşüyor önüme. İpi kopmuş tespih taneleri gibi.

"Taş yerinde ağırdır" diyor gülümseyerek. "Bizim bir ağırlığımız kalmadı bu dünyada."

Sessizce çıkıyorum oradan. Kapanıyor kapı ardımdan.

Bir gurbet sahnesidir tanık olduğum; avuçlarımda, saçlarımda kelimeler...

Birbirine "Tutunamayanlar"

Erkek, kadını çoook sevdi. Ve çabuk sildi. Aşklarını da, ayrılıklarını da büyük çalkantılarla yaşamayı huy edinenlerdendi. Hikâyesini bana anlattığında ilgilenmedim evvela. Belki de önyargılıydım ona karşı. "Dinle" dedi. "Bir de benden işit şunu." Serseri ruhluydu, kolay kolay kimselere bağlanmaz tiplerden. "Önce bir hayatın cilvelerini göreyim, sonra kendimi keşfedeyim, derken bir kez de 80 günde devriâlem edeyim; valla ancak o zaman bir yuva kurmayı aklımdan geçirebilirim" derdi her zaman.

O daha bebekken leylek sürüleri beşiğinin üzerinden uçmuştu; yerinde duramaz, bir yastıkta kocayamaz, bir adrese bağlanamazdı. Ofisinin, evinin duvarlarında farklı diyarlardan getirilmiş onlarca resim ve eşya vardı. Güney Afrika'da, Kuzey Amerika'da, Uzakdoğu'da çekilmiş fotoğrafları süslerdi etrafı. Meditasyon yapmışlığı, hatta Hindistan'da bir aşramda bulunmuşluğu da vardı. Ama öyle el etek çekerek yaşamak ona göre değildi doğrusu.

Nefsi ona batmazdı. Tam tersine, nefsi ile ahbaptı.

Yapacak işleri vardı; gezilecek yerler, kazanılacak başarılar. Bunu hiç dile getirmese de başka kadınlar tanımak istiyordu, içlerinden birine "Karım" demeden evvel. Sadakat, yedi harfli bir kelimeden ibaretti onun için. Mümkün mertebe kullanmazdı. Kendini burjuva ilişkilerin üzerinde görür, başkaları için geçerli olan ölçütlerin onu zerre kadar bağlamayacağına inanırdı.

Zor adamdı. Kendince ilkeleri vardı. Siyasetten hoşlanmazdı. Yerli sanatçıların hiçbirini beğenmezdi. Kolay burun kıvırırdı. Yerli roman okumazdı. Caz dinler, Amerikan edebiyatı takip ederdi. Reklam sektöründeydi. Sarhoş olduğunda bile bir kadına sarktığı görülmemişti. Hep dik dururdu.

Kadınların da huyudur malum. Bir erkek ne kadar ulaşılmaz olursa o kadar caziptir cins-i latifin gözünde. O da bu oyunu iyi oynayanlardandı. Ağırdan satardı kendini. Hiçbir hatunun peşinde koştuğu görülmemiş, duyulmamıştı. Hep arzulanan, uğruna gözyaşları dökülen oydu. Kadınları severdi halbuki, hem de çok. Ama daha da sevdiği bir şey varsa o da onları kendine hayran bırakıp, sevip okşayıp, ardından terk etmekti.

Velhasıl, evlilik müessesesine soğuktu. "Başımı bağlayacak hatun anasından doğmadı daha" derdi kafası iyi olduğunda. Gülerdi erkek arkadaşları. Ve ona yarı sitem yarı hayranlıkla bakardı arkadaşlarının eşleri. Yalnız kaldıklarında onu çekiştirirlerdi. Ona kızar, içerler, hatta ismini yerden yere vurur ama bir yandan da onu ciddiye alırlardı.

***

Kadın, erkeği çoook sevdi. Ve bir kalemde çiziverdi. Oysa bağlandı mı bırakmayanlardandı. Hikâyesini bana anlattığında ilgilenmedim evvela. Belki de önyargılıydım ona karşı.

"Dinle" dedi. "Bir de benden işit şunu."

"Erkekler özgür olmak istedikleri için evlenmeye yanaşmıyor ya, aslında kadınlar da öyle" derdi onu tanıyanlara. "Şimdi ben evli bir kadın olsam ne dünyayı dolaşabilirim ne kariyerime odaklanabilirim ne de çıkıp tozabilirim, yalan mı? Özgürlüğümün tadına varabilmem için daha uzun süre bekâr kalmam lazım."

Böyle dedi, böyle yaşadı senelerce. Lakin bir gün otuz yedi yaşına bastı. Paniğe kapıldı. Bedeni bir saat gibiydi. Tik-tak. Bir şeylere geç kalmaktan korktu. Koşup da yetişememekten. Eskiden farkına bile varmadığı ayrıntılar gözüne battı. Meğer ne çok kız arkadaşının bebeği vardı. Onları seyretti; pusetleri, biberonları, oyuncaklarıyla ayrı bir gezegene ait gibiydiler. Kendini o gezegenden dışlanmış hissetti. Eskiden "tercihim" dediği şeyleri, şimdi bir zorunluluk gibi yaşamaya başladı. Ağırına gitti bu durum. Ağırına gitti vaktiyle elinin tersiyle ittiği seçeneklerden şimdi yoksun olmak.

***

Erkek ile kadın, birinin kendini hâlâ genç zannettiği, berikinin ise "aman yaşlanıyorum!" telaşına yakalandığı, işte o tuhaf dönemeçte karşılaştılar. Belki bir sene evvel tanışsalardı hiç ayrılmazlardı. Ama bugün durdukları noktada birbirlerini taşımaları imkansızdı.

Erkek kızdı kadına. Onun bir türlü değişemeyişine. Bir midye gibi kabuğuna tutunmasına. Aralarındaki aşka sımsıkı sarılmasına. İki kişilik bir dünya yaratmaya kalkıp "esas" dünyayla bağını koparmaya çalışmasına. Kadın kızdı erkeğe. Onun bir türlü değişemeyişine. "Yaşı varmış 40'a, üniversite öğrencisi gibi davranmaya kalkmasına." İkisi de aynı gerekçeyle, yani "değişmiyor, değişmeyecek" diye terk ettiler birbirlerini...

İkisi de hayali. Ben onları hikâye kahramanlarım olarak kurguladım. Birbirlerine tutunamayanlar kurcalar çünkü aklımı, bir sual ki batar kıymık gibi zihnime: "Nedendir bir türlü değişemeyişimiz? İnatla aynı kalmalarımız? Tekrarlarımız, hayatı bir sarmal halinde yaşamamız. Senebesene benzer öfkeleri, hasetleri, kırgınlıkları boynumuzda halka gibi taşımamız? Döne döne tıpatıp aynı hataları yapmamız, yanlış insanlara âşık olmamız? Neden?"

Yürümeyeceğini iki taraf da gayet iyi bildiği halde başlar bazı aşklar.

Hep "bile bile lades" kimi sevdalar.

Şaşkınlığa Methiye

Ne zaman kılığı kıyafeti, saçı makyajı, oturuşu duruşu, konumu ve vizyonu, özgüveni ve sohbeti "kusursuz" bir kadınla yan yana düşsem kaçmak isterim yanından, kaçmak uzaklara. Ne vakit dört dörtlük, en ince ayrıntısına kadar mükemmel planlanmış, en ufak bir leke bile barındırmayan bir sofrada otursam, iştahım kapanır kendiliğinden. Su üstüne su içerim.

Aşırı şık, fazla lüks mağazalarda elim ayağıma dolaşır. Tepemde bir yerde yaramaz bir peri uçuşur, sihirli çubuğunu sallar. Kurbağaya değil, yakışıklı bir prense değil, zücaciye dükkânında yolunu kaybetmiş file dönerim. Her an bir şeyleri devirip kırma korkusuyla yürürüm usul usul. Kuyruğumu, hortumumu saklamaya çalışarak, en yakın çıkış kapısını arayarak.

Böyle ortamlarda konuşmaya kalksam, uzaktan sesimi dinlerim başkasını dinler gibi. Kelimeler dizilir boğazıma boncuk boncuk. Bir ben vardır dışarıda, görünürde, sosyal hayatta; bir de ben vardır içeride, hep ama hep bir eşikte. O ikinci ben dürter, çekiştirir. "Hadi gidelim buradan!" Ben yatıştırmaya çalışırım. "Ya dur biraz. Daha yeni geldik."

Ne zaman muhteşem döşenmiş, her ayrıntısı ince ince düşünülmüş, en ufak bir çizik ya da dağınıklığa izin vermeyen, en âlâ dekorasyon dergilerinin sayfalarından fırlama bir evde bulsam kendimi, kurdeşen olur ruhum, başlar kıvranmaya. Tuvaletin yerini sorarım, gösterirler. Kapıyı kapar kapamaz, kendimle baş başa kalır kalmaz, azarlarım ikinci ben'i:

"Gene ne var? Gene niye huzursuz oldun?"

"Hadi kaçalım buradan n'olurrrr" der mızmız çocuk gibi.

Kimi zaman idare ederim ruhumu, kimi zaman zapt edemem. Oldum olası mutlakıyetçi/mükemmeliyetçi insanların yanında içime kapanır; arızalı, yaralı, şaşkın, mütevazı, hafif derbeder ve elinde olmadan zikzaklar çizen, düşe kalka şu hayatta arayış halinde olan insanların yanında açılır, dillenirim, coşarım.

***

Hem Doğu'nun hem Batı'nın en bilge seslerinden Halil Cibran'ın etkileyici nice sözünün arasında gözlerden kaçan bir saptaması var. "Tereddüt, insana zorluk çıkarır, acı çektirir, bazen azap verir der" ve ekler: "Halbuki bilmez ki ikiz kardeşinin ismi İnanç'tır." Aklımı kurcalar bu laf. Tereddüt ile inanç ikiz kardeş olabilir mi?

Oysa doğrularından son derece emin, hayata ve kendileri gibi düşünmeyenlere hep mesafeli ve tepeden bakan insanları dinlediğimizde, tereddüdün gölgesine bile rastlamayız konuşmalarında. Unutmuş görünürler ikizlerden birini.

Ne tereddütsüz inanç mümkün. Ne tevazusuz özgüven. Utangaç insanlarda tuhaf bir cesaret vardır, suskunlarda geniş bir kelime hazinesi. Yumuşak kalplilerde sağlam bir duruş vardır, merhametlilerde dirayet. Karşıtından beslenir insanı var eden, yukarı çeken nice özellik.

Ne yalpalamadan yürümek mümkün öyleyse, ne yolunu kaybetmeden ilerlemek.

İşte de öyle. Okulda da. Ailede de. Arkadaşlıkta da. Ve aşkta da.

Tereddüt eder insan bazı bazı. Şüpheye düşer sevdiğinden de sevildiğinden de. Gölge olmadan güneş, şüphe olmadan aşk olur mu? Bir insanı haftada yedi gün, günde yirmi dört saat aynı şekilde, hiçbir iniş çıkış yaşamadan sevmek mümkün mü? Hele seneler boyu. Mümkün değilse şayet neden bu kadar zorlanıyoruz sevdiğimiz insanları, sevmediğimiz anlar, hatta sevmediğimiz günler olduğunu kabul etmekte?

Keşke söyleyebilsek birbirimize dürüstçe: "Seni seviyorum ama şu anda değil. Seni görmek istiyorum ama bugün değil."

Keşke kırılmasak bunları duyduğumuzda, rahat olsak, anlasak.

Nasıl da tahammülsüz davranıyoruz, aşk söz konusu oldu mu şüphenin kırıntısına dahi. Totaliter aşklarımız. Yayılmacı, işgalci, tahakkümperver. Sevdiğimizin benliğinin haritasında ele geçirmediğimiz tek bir köy ya da kasaba bile kalmamalı. Emin olmak istiyoruz, yüzde yüz, yüzde beş yüz.

"Seviyor musun beni?" diye soruyoruz durup durup. Yetmiyor gelen cevap, kesmiyor.

"Hep sevecek misin beni?" diyoruz bu sefer. Şimdiki zamanı kontrol etmek, ettiğimizi sanmak yetmiyor; geleceği de ipotek altına almak istiyoruz. Gelecek beş, on, kırk, elli yılı.

"Ölene kadar seveceğim" yemini ne kadar temelsiz aslında, boş bir dayatma. Şu anı bilebiliriz sadece, koca bir ömre dair edilen her taahhüt, özünde zorlama.

Tereddüt inancın da, özgüvenin de, aşkın da olmazsa olmazı.

Şüpheye ve çelişkiye yer vermeyen aşklar, yalan aşklar!

Sevdiklerimize Verdiğimiz Rahatsızlık İçin Özür Dileriz

İnsan vardır, yüzü güler, gönlü cömert, ufku geniş; onunla oturdukça oturmak istersiniz; muhabbetinden keyif ve feyiz alır, ilham bulur, farkında bile olmadan ne çok şey öğrenirsiniz. Yanından kalktığınızda az buçuk değişmiş, zenginleşmiş olarak yolunuza gidersiniz. Hafiflemiş olarak, rüzgârda tüy gibi. İçinizde bir gonca gül açılır, katmer katmer renklenir. Elinizde olmadan hayata gülümsersiniz.

Gene görmek istersiniz o kişiyi, ilk fırsatta yeniden buluşmak. Sohbetine doyamaz, ruhunun dibini bulamazsınız, öylesine derin. Bir saklı cevherdir, ilk bakışta belli olmayan. Uçsuz bucaksız bir denizdir kıyılarına varılmayan. O kadar azdır ki böyleleri, bulunca ömür boyu dostluğunun ipini bırakmak istemez, kıymetini bilirsiniz; güzelliği arayan bir mürit gibi, muhabbete susamış bir münzevi gibi, ateşe meyyal pervane gibi etrafında incecik çemberler çizersiniz. Dostlukla, hayranlıkla...

İnsan vardır, kem bakar, ağılı konuşur, ha bire şikâyet yahut hakaret veya dedikodu halindedir; karalamayı sever, başkasına leke çalmaktan kendine payeler çıkarır; kimseyi beğenmez, kendinden gayri; hiçbir yeniliği, farklılığı tasvip etmez; ayaklı sirke küpü, diken diken her sözü; dudaklarının ve gözlerinin etrafında senelerdir surat asmaktan, fesat bakmaktan oluşmuş çizgiler taşır, lakin bilmez. Köşe bucak kaçmak istersiniz böylesinin gölgesinden bile.

Ne var ki bazen o insan patronunuzdur. Ya da öğretmeniniz. Kapı komşunuzdur veya çalışma arkadaşınız yahut ağabeyiniz. Hemen her gün görmek zorunda kaldığınız biridir. Belki de babanız ya da kayınvalideniz. Belki biricik eşiniz. Vaktiyle ne çok severek evlendiğiniz ama zamanla kalben, zihnen, ruhen ayrı düştüğünüz; gene de bir türlü yüzleşemediğiniz, dürüstçe eleştirmediğiniz... Tavsamaya yüz tutmuş bir ateş gibi kendi kendine tüter ilişkiniz. Ne uzaklaşabilir ne katlanabilirsiniz. Ne olduğu gibi sevebilir ne hepten vazgeçebilirsiniz. Derken ondaki irin usul usul size de sirayet eder. Damla damla akar ruhunuza. Kangrendir ya olumsuz enerji, hızla yayılır, sinsice; bir sağlam uzuvdan bir başkasına sıçrar, bir insandan berikine. Bir de bakarsınız ki aynen onun gibi konuşmakta, onun gibi meselelere yaklaşmaktasınız. İçinizde neşe kalmamış, solmuş gitmiş o terütaze bahar. Bir kuru ayaza kesmiş benliğiniz.

Siz de tıpkı onun gibi şikâyet halindesiniz, yüzünüzde benzer çizgiler. Merak edersiniz: "Ben ne vakit böyle oldum? Hangi dönemeçte yitirdim inancımı, iyimserliğimi, cesaretimi, girişkenliğimi? Ben ne zaman vazgeçtim aşkı aramaktan? İçsel yolculuklardan? Değişimden? Öğrenmekten? Büyümekten? Sahi ne zaman?"

Hiç düşünür müyüz etrafımızdaki, en yakınımızdaki insanların enerjisi bizi nasıl etkiliyor? Günbegün, aybeay, senebesene...

Yahut tersine çevirelim soruyu: Bizdeki olumsuzluklar acaba onları nasıl etkiliyor? Sevdiklerimize verdiğimiz zararın bilincinde miyiz?

Keşke ara ara kapsamlı bir tadilata girişsek benliğimizde. Keşke daha fazla ertelemeden ve samimiyetle bakabilsek içimize. Oradaki yanlışları, hırsları, kabuk tutmuş yaraları, tamahkârlıkları tek tek bulup ayıklayabilsek.

Bir tabela assak: "Sevdiklerime verdiğim zarar için özür diliyorum. Şu anda tadilat halindeyim, yenileniyorum..." Köhne binalar bile gençleşirken, kurumuş otlar bile tazelenirken, yeterli özen ve emekle şu hayatta her şey yenilenirken, insan nasıl değişmez, değişemez?

***

Bir süredir romanların yanı sıra nöroloji alanında çalışmalar yapan bilim adamlarının kitaplarını okuyorum. Kafayı fena halde taktığım, okudukça keyif aldığım isimler var. Mesela V. S. Ramachandran. Biz şimdiye kadar bilim ile mistisizmin birbirine taban tabana zıt olduğuna inandık ya, Ramachandran bu ikisinin pekâlâ kesişebileceğini söyleyen sıra dışı seslerden.

Uzun yıllardır Amerika'da yaşayan, ödüller almış bir bilim adamı. Alanında önemli başarılara imza atmış. Aynı zamanda Hint asıllı ve ruhaniyete, maneviyata, mistisizme açık bir damarı var. Çalışmalarında şaşırtıcı biçimde bilimin akılcı, gözlemci, pozitivizme dayalı birikimi ile tasavvufun, insanlığı birbirine bağlı gören felsefesini buluşturmakta.

Ramachandran kolları ya da bacakları kesilmiş insanlarla çalışıyor. Bu tür hastaların kaybettikleri uzuvlarının ağrısını hissetmeye devam ettikleri bilinen bir gerçek. Bu "hayali sancı" bilim dünyasının hâlâ çözemediği bir muamma. Olmayan kolunuz sızlıyor mesela, kesik bacağınız ağrıyor, ne ilaçla ne terapiyle geçiyor.

Ramachandran'ın anlattığı ilginç bir örnek var. Kaybettiği elinin durmadan kaşındığını zanneden bir hastanın yanında, şayet sağlam bir kişi kendi elini usulca kaşırsa, o hastanın kaşıntısı hafifliyor, geçiyor. Zira senkronize hallerimiz. Enerji ağlarıyla birbirimizi etkilemekteyiz ha bire. Bilsek de bilmesek de...

Zor

Ne vakit bir romanı bitirsem boşluğa yuvarlanıveririm. Meğer bir uçurum açılmış ruhumda, yazıya-edebiyata çekildiğim tüm bu zaman zarfında, sessizce büyümüş, derinleşmiş, oraya düşerim.

Hani birçok insan zannediyor ki bir yazar aylardır, senelerdir üzerinde çalıştığı kitabı bitirince rahatlar. Hatta gider kutlar, çılgınlar gibi eğlenir, davetlere katılır. Ya da yakınlarına telefonlar açar, başarısını anlatır. Üstüne bir hafiflik, tavırlarına bir rahatlık gelir. Bir şeyleri "kotardım, hallettim" hissi.

Halbuki işin aslı bambaşkadır. Hakikatte bunun tam tersi olur. Bu kadar uzun zamandır zihninde kurduğun hikâyeden, alıştığın ritimden, gece gündüz düşündüğün ve inandığın karakterlerden ayrılmak istemezsin. Kolay kolay kopamazsın.

Bir yanın 400 küsur sayfa metni editörüne yollarken, öbür yanın direnir, isyan çıkarır. "Olmaz" der, "roman okurun değil, benim."

***

Virginia Woolf bütün depresyonlarını iki kitap arasındaki alacakaranlıkta, o tuhaf boşlukta yaşadı, roman yazarken değil. Üstelik seneler içinde hafifleyeceğine, derinleşti bu hal. Giderek daha sancılı gelmeye başladı yazdığı kitaplardan kopmak, eserlerini yayımlatmak.

Belki de insan bir fikrin, bir hayalin, bir hikâyenin içinde çalışırken azimle tutunuyor ona, o ana. Bir garip irade geliyor üzerine. Ama ne zaman ki bitiyor eser, ne zaman ki "hayal âlemi"nden "hakiki dünya"ya dönmen gerekiyor, tökezliyorsun, ayakların geri geri gidiyor.

Bunlar bir yanıyla evrensel kaygılar. Bir de Türkiye'ye özgü evhamlar var. Roman yazarken önemsemediğim, aklımdan bile geçirmediğim endişeler, buğdaya gelen kuş sürüleri gibi üşüşür zihnime. Çünkü yazarken yalnızdır insan. Ama kitap piyasaya çıktığında eserle beraber yazar da kamusal bir figür olur.

"Eyvah, kim ne diyecek?" diye tırnaklarımı yemeye başlarım. Gazeteciler, köşe yazarları, eleştirmenler, onlar bunlar... ama tabii bilhassa okurlar. Kimileri diyecek ki içinde hiç cinsellik yok, kimileri diyecek ki fazla cinsellik var.

Kimileri diyecek ki şu karakter niye Kürt, kimileri diyecek ki bu karakter niye muhafazakâr. Birisi kapağına takılacak, öbürü kenarına. Sonu yok ki. Bir sürü yorum gelecek, en çok da kitap okumayanlardan, çünkü ileri geri yorum yapmak, atıp tutmak bedava.

Türkiye'de bazı şeyler zordur. Mesela "Ne filancacıyım, ne falancacı, sadece bireyim" demek zordur. Desen bile anlatabilmek, anlaşılmak zordur. Arafta kalana şaşırır bu toplum. Anlam veremez. Muhakkak arkasında bir bityeniği arar. Türkiye'de demokrat olmak, demokrat kalmak, bireysel özgürlüğüne ve farklılığına sahip çıkmak zordur. Kutuplaşmalar/kolektiviteler halinde bölünmüş bir ortam varken.

***

Roman bitti ya, başımı çıkarıyorum kabuğumdan, bakıyorum dış dünyaya. Seçim öncesi gergin ortam. Yazılı ve görsel basında birbirine sataşan gazeteciler, atışan siyasetçiler, meydanlarda bitimsiz polemikler... gene toz duman.

Her ülkede seçim öncesi fikir ayrılıkları olur ama biz daha ziyade "gezegen ayrılıkları" yaşıyoruz. Ayrı galaksilerin yarattıkları gibi davranıyoruz birbirimize. Fazla hoyrat, fazla erkeksi kamusal alanın dili. İçimden bir ses "Gerisingeri kaç!"

diyor. "Bu ortamda sanat, edebiyat zor." Dönmek istiyorum hayal âlemine. Doğrusu orası daha renkli, daha sahici geliyor.

Ama sonra, bir edebiyatseverden gelen bir mektup, candan birkaç söz... Bir hikâyenin, okuyanların kalbine nasıl ulaştığını görüyorum. Yazardan okura, okurdan yazara görünmez köprüler kuruyor kitaplar.

Biliyorum bu paylaşımı, bu ruhdaşlığı. Tekrar ürkek ürkek çıkarıyorum kafamı. Bezgin bir kaplumbağa gibi usulca. "Tamam" diyorum editörüme. "Romanı al benden. Şimdi hakiki okurlara ulaşma zamanı."

İstanbul'da Aşk Büyüsü

İstanbul hakkında yazmayı hep sevdim galiba. İstanbul'u anlatmanın, İstanbul'u anlamanın imkânsız olduğunu bildiğim halde...

İstanbul bir şehir değildir. İstanbul bin şehirdir. Ama bunu kabullenmek pek zor gelir zihnimize. Ürkütür bizleri içten içe. Bu yüzden tek bir şehirmiş gibi davranırız. Ondan üçüncü tekil şahıs olarak bahsederiz daima. Türkçede kelimelerin cinsiyet ayrımı olmadığı için bir muğlaklık arkasına sığınıp "o" deriz. Halbuki hepimizin bildiği üzere İstanbul'un cinsiyeti vardır.

İstanbul kadındır. Dişidir. Dişiliği belirgindir.

Bir oyuncak olsaydı bu şehir, içinde pembe elbiseli, porselen bir balerin dönen mor kadifeden bir müzik kutusu olurdu. Açardık kutuyu zaman zaman. Bakardık içine. Dinlerdik ezgisini. Kapatıp rafa kaldırırdık. Sonra dayanamaz gene açar, gene bakardık. Ve bildiğimiz halde kutunun içinde ne olduğunu, her açışımızda heyecanlanır; merak etmekten kendimizi alıkoyamazdık. Çünkü İstanbul alışıldık yanlarıyla bile şaşırtmayı başaran bir bilmece, tanıdık sokaklarında bile kaybolduğumuz bir labirenttir. Bu şehri tamamıyla kavramak mümkün değildir.

Bir cisim olsaydı bu şehir, kaleydoskop olurdu muhtemelen. Göz deliğinden her bakışta başka bir desen, bambaşka renklerle çıkardı karşımıza. Gün içinde ışığın geliş açısına göre renkten renge, desenden desene bürünürdü. Çeşitliliğiyle büyülerdi.

Bir yemek olsaydı bu şehir, tatlı değil, tuzlu değil, acılı ekşili olurdu, içinde birbirinden uyumsuz tatlar yüzer ve buna rağmen tuhaf bir uyum yakalarlardı beraber. Bir damla limon, bir damla zencefil, bir kaşık bal, onlarca ayrı baharattan müteşekkil bir karışım. Bu şehir bir çorba olsaydı, öyle her önüne gelen aşçı pişiremezdi onu. Tarifini bilmek yetmez, herkes tutturamazdı kıvamını.

Bir su kaynağı olsaydı bu şehir, göl değil, dere değil, ırmak değil, pınar değil; delidolu bir nehir olurdu. Çağlaya çağlaya akardı. Yaz kış taşardı. Gürül gürül temposuyla asi ve koyu mavi, köpük köpük dalgalarında nice katreler gizli, sadece sularını değil, sularına kapılanları da alıp uzaklara taşıyan bir nehir.

Ve bir duygu olsaydı İstanbul, hüzün değil, hasret değil, elem değil, sevinç değil, sevgi değil, nefret değil; aşk olurdu muhtemelen. Safi aşk... tepeden tırnağa, buram buram...

İstanbul'a gelip de aynı kalan yoktur. Bu şehir insanı alır ellerine, bir hamur parçası gibi yoğurur. Bir bakmışsın değişmişsin. Bir bakmışsın aynı konuşmuyor, aynı düşünmüyor, dünyaya eski gözlerinle bakmıyorsun. Şaşırırsın. Ne vakit, nasıl oldu da değiştin böyle anlayamazsın.

İstanbul'a gelen herkes değişir.

İstanbul'da kalan herkes değişir.

İstanbul'dan ayrılanlara gelince, onlar ömür boyu hasretlerini buzdan keskin, iğneden ince bir sızı gibi taşırlar yüreciklerinde. İstanbul'u uzaktan özlemenin ağırlığını ancak yaşayan bilir.

***

Burada zaman farklı akar. Hızlı akar. Sabahın erken saatlerinden gece yarılarına kadar herkes ha bire telaş halindedir, İstanbullular Avrupa'nın başka şehirlerinde yaşayanların yararlandığı rehavet ve rahatlığa yabancıdır. Ne sokaklarda sallana sallana yürümek, ne hiçbir şey yapmadan bir kafede öylece oturup etrafa gülümsemek. Bilmeyiz bunları. Öğrenmeye de vaktimiz yoktur. İstanbullular durmadan bir yerlere koştururlar. Ve ne kadar koşarlarsa koşsunlar hep ama hep geç kalırlar. İstanbul geç kalmaların şehridir. Randevularımıza, dostlarımıza, sevdalarımıza, anılarımıza, hayallerimize... hatta kendimize geç kalırız burada ha bire.

Sonra alı al moru mor koşturarak varırız randevu yerine. Nefes nefese "kusura bakma" deriz buluştuğumuz kişiye. Halbuki o da bizim gibi gecikmiş, en fazla birkaç dakika evvel gelmiştir, iki taraf da geciktiği için aslında kimse geç kalmamıştır birbirine. İstanbul gene hakikati hayal, hayali hakikat eylemiş, her şeyi tersyüz etmiştir; İstanbul'da zaman başka her yerde olduğundan çok daha izafidir.

Bir kelime olsaydı İstanbul, ne "şehir" ne "medeniyetler köprüsü" ne "tarih" ne "gelecek" olurdu muhtemelen. İstanbul'un sözlükteki karşılığı "efsun" olurdu. Efsundur bu şehir. Efsunludur. Tılsımdır.

Bir büyü olsaydı İstanbul, "kıskançlık" değil, "bereket" değil, "saadet" değil, "sıhhat" değil, "aşk büyüsü" olurdu. O yüzden belki de bu şehri seven çoook sever. Âşıkları boldur İstanbul'un. Ve o büyük bir maharet, ince bir hünerle, sağ olsun, hepimizi idare eder.

Yorgun Çiftler

Kadın baktı aynada kendine. Baktı uzun uzun, yüzündeki çizgilere. Parmaklarının ucuyla usulca değdi kırışıklıklara, pürüzlere, senelerin izlerine. Yüreği hop etti. Korktu. Yitirmekten endişe duydu. Çirkinleşmekten, sevilmemekten, yaşlanmaktan ve en çok da tek başına kalmaktan... Aşkı ve evliliği bir yarış gibi algıladığını fark edemeden, kaybeden taraf olmaktan korktu. Hiçbir sebep yoktu aslında böyle paniğe kapılması için. Elle tutulur, gözle görülür bir neden yoktu, kendi paranoyalarından başka. Gene de çıkamadı bu ruh halinden. Atamadı üstünden. Kendine olan güveni kaynar suda bir tutam tuz gibi eriyiverdi. Sarıldı telefona. Randevular aldı peş peşe. Kuaför, manikür, masaj, cilt bakımı, alışveriş...

Takip eden üç gün boyunca arayan arkadaşlarına şaka yollu cevap verdi: "Hayatım buluşamam, bakımdayım valla; kendimi bakıma aldım."

Üç gün sonra cildi pırıl pırıl, saçları yapılı, üzerinde yepyeni bir kıyafetle çıktı kocasının karşısına. Parfümler süründü, rujunu tazeledi. "Hiç niyetim yok" dedi kendi kendine. "Niyetim yok sahip olduklarımı kaybetmeye!" Bundan böyle tüm varlığını mevcut halini korumaya adayacaktı. Ahdetti. Azimliydi. Kararlıydı. Güçlüydü. Ya da öyle sandı. Lakin yüreğindeki tedirginlik, zihnindeki şüphe gölge düşürdü yüzünün ışıltısına. Gözlerinde bir kara bulut dolaştı, ha yağdı ha yağacak. Sofrayı kurdu. Onun en sevdiği yemekleri hazırladı ya da hazırlattı. Tablo gibi bir masa donattı. Bekledi. Dudaklarını ısırarak, tırnaklarıyla oynayarak bekledi.

Adam geldiğinde yorgundu, hem de çok. O kadar çok şey geçmişti ki başından bir gün içinde beş ay yaşlanmış gibiydi; el âlemin nazıyla uğraş, patronun kaprisiyle uğraş, onun bunun ağız kokusuyla uğraş. İpte yürüyen cambaz gibi görüyordu kendini bazen. Her gün baştan sona yürümesi gerekiyordu incecik bir yolu. Aşağısı boşluk. Konuşası yoktu. Susmak, susabilmekti tek isteği. Yemek yemek, rahat bir şeyler giymek, bir koltuğa çökmek, hiçbir şey düşünmeden, hiçbir sorumluluk üstlenmeden boş boş televizyona bakabilmek... Rollerden ve kimliklerden, vazifelerden ve yükümlülüklerden sıyrılmak, birkaç saatliğine de olsa hesap vermeden, açıklama yapmadan sadece ve öylece durabilmek. Buydu istediği. Tek istediği.

Kadın kendi dünyasındaydı. Dünyasında sadece iki kişiye yer vardı. Peçeteleri açıp açıp katladı. Bardakların yerini değiştirip salatayı nane yapraklarıyla süsledi. Yeter ki iş olsun. Göz ucuyla adama baktı. Ne diyecek, merak etti. Bekledi. Bir çift güzel söz, bir tatlı iltifat. Fark edilmeyi, önemsenmeyi bekledi. Birden yorgun hissetti kendini.

Tüm enerjisi damarlarından çekilmiş gibi oturdu bir koltuğa. Sinirli, huzursuz bir sigara yaktı. "Bırakamadım ya şu mereti!" diye söylendi. Sonra kocasına yöneltti bakışlarını. Ve böylesine gergin olduğu için sorduğu soru da ağzından sert çıkıverdi. Halbuki kavga etmek değildi niyeti. "Neredeydin?" dedi. "Bu saate kadar neredeydin?" "Nerede olabilirim?" dedi adam. Diken diken çıktı sesi, böylesine anlamsız bir soruya maruz kalmanın hıncıyla. "Her gün mü meşgulsün? Bu kadar mı yoğunsun?" dedi kadın, incecik bir duman savurdu havaya. "Çocukların ne âlemde, karının bir derdi mi var, hiçbir şeyden haberin yok."

Erkek derin bir nefes aldı. Konuşmak yerine beden dilini yeğlerdi oldum olası. Mimiklere kelimelerden daha fazla itimat edenlerdendi. İzahat etmek yerine iç çekmek, göz devirmek, ters ters bakmak, olmadı yürüyüp çıkmak, çekip gitmek, kapıyı çarpmak... Onun kendini anlatma biçimi bunlardı.

Yemek yerken fazla konuşmadılar. Ara sıra ekrana takıldı gözleri. Neyse ki gündem yoğundu her zamanki gibi. Televiz-

yonla oyalandılar bir müddet. Tabak çanakların, çatal bıçakların sesleri bastırdı aralarında biriken sessizliği. Aniden televizyonun sesini kısıp kumandayı fırlattı kadın. Ellerini yüzüne kapattı. Ağlamaya başladı, kontrolsüz. Şu anda ne çekici olmak, ne genç görünmek, hiçbir şeyin önemi yoktu. Akışa bıraktı kendini. Ağladıkça kendine acıdı, kendine acıdıkça daha çok ağladı. Çok büyük bir haksızlığa kurban gitmiş gibi hissetti. Ne olduğunu bilmediği bir haksızlık. Genç kızlığına, çocukluğuna, seçtiği ve seçmediği yollara, geride bıraktığı yıllara, tek seferde tüm bir hayata ağlamaya başladı. Erkek gergin, yemeğini yemeye devam etti. Nefret ediyordu gözyaşlarının koz olarak kullanılmasından. Sırtı dik, tüyleri diken diken... "Ne var şimdi?" diye sordu çatalını bir kenara bırakarak. "Artık sevmiyorsun beni" dedi kadın. "Sevilecek durumda mısın sanki?" dedi adam, pişman oldu der demez. Kelimeler ok gibi çıkmıştı ağzından, geri döndüremedi. Tartıştılar. Yanlış sözler sarf ettiler. Peş peşe gelen ithamlar. Aslında söylemek istemedikleri şeyler söylediler, kastetmedikleri kelimeleri inatla sahiplendiler. Sırf geri adım atmamak için. Sırf eğilmemek, bükülmemek için.

Eğilip bükülmeyen sonunda kırılır, düşünmediler.

Eğilmeyen bükülmeyen sonunda kırar, düşünmediler.

Deha Bencil midir?

Evvel zaman kalbur saman içre dünya kuruldu kurulalı "yalan" denilen hadise üçe ayrılır: Düpedüz ve art niyetle uydurulan büyük harfli yalanlar, karşıdakini kırmamak için söylenen mini minnacık yalancıklar ve bir de biz kadınların inanmayı sevdiği tuhaf yalanlar...

Birincilerin rengi çamur kahvesidir, boz bulanık; ikincilerinki malum, tozpembedir. Üçüncü kümedekiler ise kristal damlasıdır; ışığı kırar, çarpıtarak yansıtır. Bir bakarsın ebemkuşağı, bir bakarsın her nevi tondan azade. O kadar oyuncu, öyle avare.

Havvakızlarının haletiruhiyesi esrarengizdir, bir garip labirent ki kişiliklerimiz, içinden çıkabilene aşkolsun. Hatun taifesinin beyinlerinin işleme biçimi ise başlı başına bir muammadır, hep dolaylı, hep karmaşık. Duymak istediğimiz yalanlar vardır nedense, bile bile. Üstelik ders çıkarmayız mevcut hatalarımızdan; alnımızı çizgiler basar, göz kenarlarımızı kırışıklıklar; kırkına varır, belimiz basenlerimiz kalınlaşır, ardından menopoz ülkesinin sınır kapılarına ulaşır, bir bakarız ki meğer gide gide bir arpa boyu yol kat etmişiz.

Kırk fırın ekmek yesek, kırk defa kalp ağrısı çekip kırk kez salya sümük ağlarken kendi kendimize kallavi yeminler etsek bile akıllanmaz, uslanmayız. Gene gider ilk fırsatta yanlış erkeklere âşık oluruz; yeniden tepetaklak yuvarlanırız, her yanımız yara bere.

Kadınların bile bile kandığı yalanlardan birincisi ve belki en önemlisi, "dehanın bencil olması gerektiği" safsatasıdır. Üstün yetenekli, fazlasıyla kabiliyetli, kimselere benzemeyen, tutkulu ve sıra dışı erkeklerin ister istemez narsist olduklarına inanmışız bir kere. Bu önkabulle baktığımız için nice kabalığı, hoyratlığı görmezden gelir, sineye çeker, hafife

alırız. Elimizde kar beyaz dantel örtüler, sevdiğimiz insanın hatalarının üstünü kapatır, el âlemden saklarız.

Biz kadınlar güzel yama yapar, leke çıkarır, kırıkları onarır ve hep -mış gibi yaparız. Bu esnada biteviye açıklamalarda bulunuruz kendimize. Bir savunma halindeyiz gündüz gece. Ya suçluluk duyuyoruz, elimizde matkaplar oyuyoruz vicdanımızı, işlemediğimiz günahlardan bile kendimizi mesul tutmanın yollarını buluyoruz ya, bravo bize; yahut da defansta duruyor, sevdiğimizi aslanlar gibi, kaplanlar gibi savunuyoruz, sadece dış dünyaya değil, en çok da kendimize karşı, kendi yüreğimize.

Erkek dehasının ve başarısının doğası gereği bencil olduğuna kanaat getirmişiz bir kere. Fedakârlık üstüne fedakârlık yapabiliriz; erteler, saklar, bastırırız, yeter ki mutlu olsun eşimiz/nişanlımız/sevgilimiz. Vaziyeti idare etmek üstüne kurulu ilişki ve evlilik anlayışımız. Çalışıyorsak işimizi bırakırız bu uğurda, hobilerimiz varsa, dert değil, onları da geri plana atarız; sofrada ve hayatta önce başkalarını doyurur, en son kendimize bakarız; arzularımızı, çocukluktan kalma hayallerimizi atlas bohçalara sarar, güve yemesin diye naftalinler, dolap tepelerine kaldırırız. Erteleriz kendimize kavuşmayı, çıkmaz ayın son çarşambasına. Kendi ellerimizle yarattığımız tuzdan heykelciklere taparız, farkında bile olmadan. Sanatçı ruhlu veya egosu yüksek yahut mesleğinde şöyle hırslı, kariyerinde böyle başarılı erkeklerin ziyadesiyle talepkâr olmalarını doğal karşılar, hayatımızın merkezinde durduklarına inanırız. Tereddütsüz onların yörüngelerine giriveririr, döner dururuz bir ateşin etrafında pervane.

***

Frank Lloyd Wright, insanlık tarihinin gelmiş geçmiş en önemli mimarlarından biriydi. Getirdiği üslup, başlattığı akımlar tartışmasız saygı görmekte, dün olduğu gibi bugün de. Doğu-Batı demeksizin, hâlâ Amerika'da, Japonya'da onun geride bıraktığı miras korunmakta. Oldum olası severim eserlerini, yeniliklerini. Lakin işinde bunca yetkin olan bu erkeğin özel hayatına baktığınızda vahim bir tablo çıkıyor karşımıza.

Bir kadından bir kadına uçan bir kelebek. Çabuk seven, sevdiğinden tez sıkılan, sıkıldığını jet hızıyla bırakan, kendini ve kendi ihtiyaçlarını her şeyin üstüne koyan, gene de kadınların âşık olmaktan geri duramadığı, uğruna skandalları göze aldıkları, hatta yuvalarını yıktıkları bir adam... Hem böylesine şöhretli bir mimar, hem bir türlü büyümeyen oğlan çocuğu...

Frank Lloyd Wright'ın hayatında dört kadın olmuş. Biri çocuklarının annesi Kitty. On küsur sene süren bir evlilik, sistematik sadakatsizlik. Derken feminist ve radikal fikirli Mamah'ya kapılır. İkisi de bu aşk uğruna evliliklerini ve çocuklarını bırakır. Mamah beklenmedik biçimde ölünce kendisi de bir sanatçı olan Miriam girer hayatına. Adeta tapar ona Miriam. Öyle ki Frank yeni bir kadına âşık olunca çıldırır, hepten kendini kaybeder. Ve yeni sevgili, taze eş, ona hayran, ona düşkün Olga. Dört kadının dördü de aynı şekilde sever mi bir adamı? İsrarla, sebatla, kendilerine rağmen...

Merak ediyorum deha bencil midir illa?

Ve biz kadınlar kendimizi bozuk akçe gibi harcamadan sevemez miyiz dâhi bir adamı?

Yaratıcılığı Nasıl Yok Ederiz?

İlkokul yıllarınıza dair neler hatırlarsınız? Benim hiç aklımdan çıkmayan bir görsel ayrıntı var: Pencereleri yarıya kadar griye boyanmış sınıflarda ders yapmak. Sıralarında oturan çocukların kafa hizalarına kadar kül rengine boyanırdı camlar. Maksat öğrenciler dışarı bakmasın, başka bir şeyle ilgilenmesin; sadece öğretmeni dinlesinler!

Hani bir sergi düzenlense, "Yaratıcılığı Yok Etmenin Yolları" olsa ismi, hepimizden birer anı-fotoğrafla katılmamız istense, ben herhalde bu kareyi seçerim. Dışarıya, semaya, sonsuzluğa, maviliğe bakmayalım diye önümüze boyanan grilik, tekdüzelik...

Ve sonra... Bir ilkokul öğrencisi düşünün, sessiz sedasız, kendi halinde ama aslında bir parça yaramaz. Oturur pencere kenarına; tırnaklarıyla minicik bir çizik çizer o kül rengi camlarda. Bir çentik atar. Azıcık kazıyıverir boyayı. Merak eder çünkü ne var buradan ötede acaba? Tırnaklarının çizdiği yollar boyunca gökyüzü görünür. Özgürlük. Sonsuzluk. Renkler. Bakar dünyaya. O minicik delikten. Bulutları seyreder. Bulutların tüm dünyayı dolaştıklarını düşünür. Bugün burada, yarın bir başka diyardalar. Göçebeler, gezginler... Gıpta eder bulutların hareketliliğine. Ve düş kurar, hayal eder, bir kulağıyla öğretmeni dinler, bir kulağıyla kendi içindeki sesleri.

***

Hepimiz doğuştan nice yeteneklerle geliyoruz. Aynı evde yan yana büyüyen iki kardeş bile birbirinden alabildiğine farklı özelliklerle donatılmış olabiliyor. Sonra aile, mahalle, okul, toplum derken bir devasa silgiyle peyderpey siliyorlar

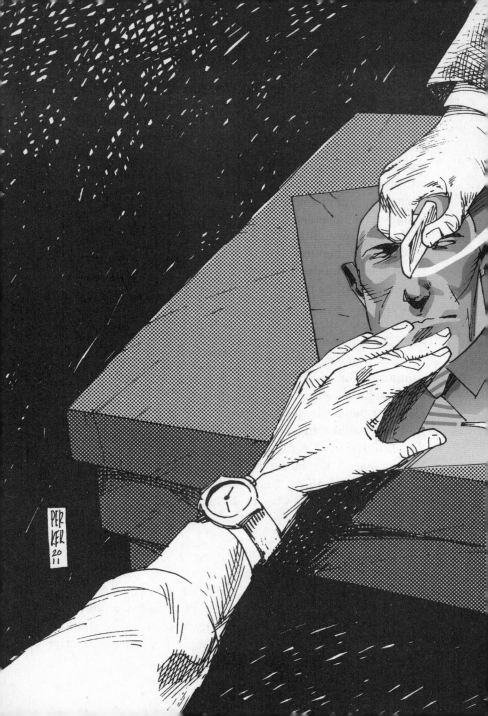

kabiliyetlerimizi, farklılıklarımızı, en çok da cesaretimizi. Pısıyor, susuyoruz. Sesimizi yitiriyoruz. Giderek birbirimize benzemeye başlıyor, tıpatıp aynılaşıyoruz. Eğitim sistemi yaratıcılığı teşvik etmekten, bireysel meziyetleri ortaya çıkarmaktan ziyade köreltiyor. Apaçık bir hiyerarşi var her zaman. En tepeye matematik, fen bilimlerini koyuyoruz. Sonra sırasıyla diğer dersler. Kimya yahut fizik dersine zerre kadar alaka duymayan ve müziğe veya dansa son derece yetenekli öğrenciler varken biz onları illaki aynı tarafa yönlendiriyoruz. Kimi çocuk matematik ağırlıklı okuyacak elbette, o yana meyyal. Ama ya resme, şiire, sanata kabiliyeti olanlar? Onları azar azar caydırmak, özlerinden uzaklaştırmak değil mi yaptığımız? Üstelik klasik anlamda üniversite diplomasının giderek önemini yitirdiği, çok sayıda eğitimli işsizin olduğu bir dünyada, herkesi sistematik olarak aynılaştırmaktaki ısrarımız neden?

IQ seviyelerine bakıyoruz çocuklarımızın. Yemek sofralarında bunu konuşuyoruz. Hatta karşılaştırıyoruz içimizden. Oysa beyin hâlâ muamma. Duygusal zekâyı ölçen bir metot geliştirilmedi daha. Ve biliniyor ki zekânın tek bir tarzı yok. Birbirinden farklı "akıllar" taşıyoruz. Elimizdeki ölçüm yöntemleri beynin bu muazzam karmaşasını anlamaktan o kadar âciz ki.

Nedense şöyle bir önkabulümüz var. Bazı insanların bazı insanlardan "meslek icabı" daha yaratıcı olduklarına inanıyoruz. Buna göre sanatçıların, reklamcıların, yazar taifesinin yaratıcı olması gayet doğal. Bu beklenen bir şey. Öte yandan bankacıların, bürokratların, muhasebecilerin yahut devlet adamlarının/kadınlarının zinhar yaratıcı olmalarını beklemiyor, tam tersine ayakları yere bassın, katiyen uçmasınlar, hayalperest, rüyaperver olmasınlar istiyoruz.

Aynılaşmış toplumlardan, cemaatlerden, yapılardan ürkerim oldum olası. Bireysel farklılıkları hoş görmeyen, çoğulluğu teşvik etmeyen ortamlardan ne sanat çıkar ne felsefe ne demokrasi.

Pencereleri açık sınıflar, zihinleri açık hocalar, gelecekleri açık öğrenciler!..

Budur bize yakışan.

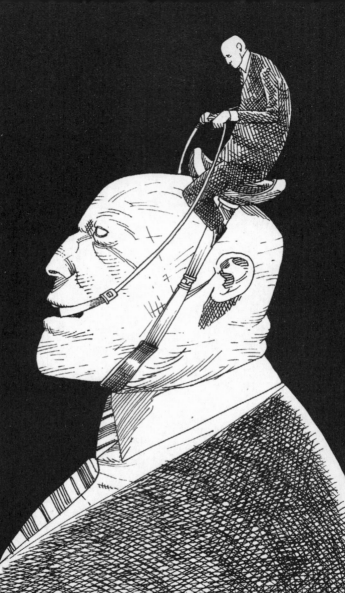

İçimizdeki Diktatör

Kadınların içinde gizli bir diktatör barınır. İlk bakışta belli olmayan, bir kuytuda saklanan. Çıkmaz öyle kolay kolay; renk vermeden, ses vermeden, bekler, demlenir. Koleksiyoncudur. Pul biriktirir gibi, kitap aralarında kurumuş çiçek biriktirir gibi o da hatıra biriktirir. Nerede, ne zaman, ne olmuştu... Hangi vakitte kim kime ne söylemişti... Vakanüvis gibi yazar da yazar en ince ayrıntıları, kara kaplı kalınca bir deftere. Anahtarı sadece kendinde. Saklar yaşananları bu dişil diktatör; doldurur çekmecelere. Tasarrufludur; geçmiş ayları kırpıp kırpıp yıldızlar yapar.

Aynı hadiseleri döne döne zihninde yaşar. Anı turşuları kurar kavanozlarda, fıçılarda, kışın havalar soğuyup ortam az biraz ayaza kesti mi açmak üzere. Kadınların içindeki diktatör hatırlamakta ve hatırlatmakta ustadır. Bir hadisenin üzerinden seneler geçmiş bile olsa, o bulur ilgili konuyu ilgili kutuda, çıkarır ortaya. "Sen" der, "bundan üç sene evvel filanca mekânda bana böyle böyle yapmamış mıydın?" ya da "Falanca tarihte şu olmuştu da sen de şöyle hareket etmiştin..." Güzel ve aydınlık anılardan ziyade kötü anıları biriktirmeyi sever diktatör. Sirkeleşir hafızası saklaya saklaya. Kemleşir dili, üslubu, bunca şeyi içine ata ata. Kadınların içindeki diktatörün ne zaman ortaya çıkacağı belli olmaz. Lakin genellikle flört aşamasında değil, ilişkilerin henüz taze olduğu evrelerde değil, sonraları arzı endam eder. Evlilik ertesi ise çok daha rahat boy gösterir. Çıkar kozasından. Başlar karışmaya. Bayılır müdahale etmeye. Her şeye... Kadınların içindeki diktatör, sevdiği erkeğe annelik etmeye kalkar. Onun her şeyini düzenlemek, bilmek, sahiplenmek ister.

***

Erkeklerin içinde gizli bir diktatör barınır. İlk bakışta belli olmayan, bir kuyuda saklanan. Tamamen kamufle değildir aslında. İpuçları verircesine zaman zaman sinyaller gönderir dış dünyaya. Durduk yerde yaşanan kıskançlık krizleri, tahakkümperver çıkışlar, asabi patlamalar, güç gösterileri... Lakin ekseriya bekler bu diktatör; pişer, demlenir kozasında. Vaktinin geldiğine kanaat getirdiğinde çıkıverir ortaya. Yaşadığı ilişkiden ve bunu kaybetmeyeceğinden ne kadar eminse o kadar yüksek sesle gürler. Tuhaf bir diktatördür bu, yedikçe acıkan, güçlendikçe zayıf hisseden, kendine bir türlü güvenmeyen, ele geçirdikçe yetinmeyen. En sevdiği şey kuşatmak, karşısındakine mutlak anlamda sahip olmaktır. Kelimelerden cephane yapar, toplumsal konumundan, bazen de fiziksel kuvvetinden yararlanır. Erkeklerin içindeki diktatör, sevdiği kadına efendi olmaya kalkar. Onun her şeyini düzenlemek, bilmek, sahiplenmek ister.

Kadınların içindeki diktatör ile erkeklerin içindeki diktatör anlaşamazlar oldum olası. Bir ipte iki cambaz nasıl yürümezse, aynı çatı altında iki otoriter de geçinemez. Dolayısıyla başlar güç mücadelesi. Yatak, mutfak, yemek masası savaş yeri. Her iki taraf da berikini değiştirmeye, kendine benzetmeye çalışır, beyhude. Dışarıdan empoze edilen sistemler nasıl çökerse birer birer, sevgililerin/eşlerin birbirine dayattığı zoraki dönüşümler de er ya da geç çatırdar bir yerinden.

***

George Sand ile Frédéric Chopin'in hayatlarını okuyorum bir süredir. Roman kahramanları gibi görüyorum onları. Hikâyelerini yazıyorum zihnimde. On dokuzuncu yüzyılın en ilginç, belki de en zorlu aşklarından biri onlarınki. Yetenekli, zeki ve cüretkâr bir kadın yazar ile dünyaca ünlü bir müzisyenin birlikteliği. Bugün, kadının tarafını tutarak yazılan biyografilerde Chopin bir duygusal külfet, adeta bir engel gibi gösteriliyor. Erkeğin tarafını tutarak yazılan kitaplarda ise George Sand'ın onu yorduğu, yıprattığı ima edilmekte. Kadın romanlarını yazabilsin diye erkek kendi taleplerinden feragat etti mi acaba? Erkek beste yapabilsin diye kadın arzularından vazgeçti mi acaba? Mutlak özgürlük var mıdır evlilikte? Peki nerede başlar demokrasiden diktatörlüğe geçiş? Özgürlüğün olmadığı yerde aşktan söz edilebilir mi hâlâ?

Endişe

Endişe ediyorum, evet, savaştan.

Endişe ediyorum, huzursuzluktan, toplumsal kutuplaşmalardan, çatışmalardan, yanlış anlamalardan, terörün artmasından, aynı dili konuştuğumuz halde diyalog kuramamaktan, uzaktan kondurulmuş yaftalardan, karşılıklı sağır ve kör ve bigâne kalmaktan birbirimizin hüznüne, derdine, feryadına, yakarışına, hikâyesine...

Endişe ediyorum, evet, ağız tadıyla güne başlayıp, gönül rahatlığıyla geceyi tamamlayamamamızdan; yüreklerimiz ağzımızda hop oturup hop kalkmamızdan; gelen her şehit haberiyle kahrolup "Ne olacak bu gidişat sahi nice olacak?" diye hayıflanmalarımızdan; gündemin hep yoğun, hep inişli çıkışlı olmasından...

Bu canım memleketin, bu nevi şahsına münhasır diyarın, insanı bu kadar güzel ve can ve duygusal ve dost, coğrafyası-tarihi-dokusu inci tanesi olan bu ülkenin kendi kıymetini bilmemesinden...

Endişe ediyorum, evet, geçmişin hatalarından ders alma-ma ihtimalimizden...

Anadolu'nun dört bir yerinde Türkler ve Kürtler beraber yaşarken; Türkiye'nin demografik dağılımında son otuz sene içinde büyük değişiklikler olmuşken, farklı grupların birbirine girmesinden, linç psikolojisinin gelişmesinden, kapı komşumuza ırak düşmemizden, düşman kesilmemizden.

Endişe ediyorum, evet, kadınların sesinin yeterince duyulmamasından, siyasette ve bürokraside ve karar alma mekanizmalarında yeterince kadın olmayışından.

Endişe ediyorum, evet, "İyi de onlar..." diye başlayan ve sarpa saran cümlelerden. Hep ama hep kabahati öteki tarafa mal etmemizden ve ilk adımın oradan gelmesini beklerken bir çıkmaz sokakta sıkışıp kalma ihtimalimizden.

Endişe ediyorum, evet, ağız tadıyla ve vicdan birliğiyle, tüm Ortadoğu'ya, hatta Müslüman coğrafyaya örnek olacak masmavi bir demokrasi denizinde demir atıp geleceğe güvenle bakıyor olamayışımızdan.

Endişe ediyorum, evet, bir asude bahar ülkesinde çoluk çocuk, kadın erkek, yaşlı genç, türbanlı türbansız, muhafazakâr liberal, Kürt Türk, Sünni Alevi... bayramlaşıp, helalleşip, kendimizi bir kez olsun berikinin yerine koyarak, hayata bir de oradan bakmayı denemeyişimizden...

Endişe ediyorum evet, "barış" kelimesinin bir çocuk ismi olarak kalmasından... Ya da sözlüklerde unutulmuş kadit ve kadim bir kelime, kitap aralarında solup kuruyan bir çiçek gibi.

Endişe ediyorum, evet, endişe etmekten. Hani Hazreti Mevlâna demiş ya: "Kanatlarla geldin bu âleme, öyleyse sürünmek niye?"

Belki bugünkü halimize yontabiliriz bu sözü: "Kardeşlik, huzur ve demokrasi içinde yaşamaya geldik, öyleyse bu bitmeyen gerilim niye?"

Endişe ediyorum, evet, endişe etmez oluruz diye. Kanıksarız acıları, cenazeleri, ağıtları, yasları; empati yeteneğimizi, cebimizden düşüveren bir mendil gibi yitirir, uzaklaşırız birbirimizin yüreğinden diye.

Endişe ediyorum, evet, bazı bazı...

Alis Arızalar Diyarında

Altın kalpli anneannem, namı diğer Ananiş, bana rengârenk bir dünyanın kapılarını aralayan insan. Kimilerinin "batıl inançlar" diye gülüp geçtiği koskoca, yaşlı ve bilge bir âlemin anahtarını elinde tutan masal kahramanı. Dualar, muskalar, efsaneler, destanlar, bilmeceler, nasihatler, atasözleri, kuşaktan kuşağa devredilen ve daha ziyade kadınların bildiği ve önemsediği muazzam bir sözlü kültürle o tanıştırdı beni. Ne çok şey öğrendim ondan. Ne çok seyrettim ve hâlâ da izlerim geleneksel kadınlarımızın hayatlarını. Sevgiyle, takdirle, merakla. Yaşlandıkça muktedirleşen kadınlar bunlar. Genç yaşta evlenen/çocuklarını büyütürken büyüyen/bez bebekler yerine gerçek bebeklerle oynayan/evlilikleri boyunca fedakârlık üstüne fedakârlık yapan/hep ama hep başkalarını düşünen/kendi çıkarlarını değil gözetmek, neredeyse tanımayan/bir sorun çıkmasın diye çırpınan/herkesi ayrı ayrı idare eden/her türlü kaprise ve naza boyun eğen/başkalarını doyurmaktan kendilerini doyurmaya vakit ya da takat bulamayan/kendi pişirdikleri yemeklerden pek fazla yiyemeyen/sofradan hep yarı aç kalkan/dış dünyayı bilmeyen ama iç âlemleri zengin ve derin /hep veren, hep sunan, hep koruyan kadınlar. Lafa gelince yüceltilen ama hayat boyu hakları yenen, geri planda tutulan, kendilerini ailelerine adamış, çocuklarının ve torunlarının iyiliği için çabalayan, kocalarının her mevsimini, bin bir halini görmüş ve yaşamış ve kabullenmiş ve affetmiş kadınlar...

***

Uzun seneler boyu anneannemin dualarının önemli bir kısmı benim bir an evvel evlenmem üstüne kuruluydu. "Allahım şu şaşkın torunum altın kalpli bir insanla yuva kursun..." Bunu yaptığım takdirde nihayet bir yere yerleşebileceğime, bir düzene kavuşacağıma inandığından. Yirmiler hızlı geçti, derken yirmi beş bitti. Sonra otuz oldu, otuz üç de geçti. Çoktan evde kaldığıma inandığı için anneannem dualarına hız verdi. Ben kendimce onu teselli etmeye çalıştım. "Ananiş ya, Türkiye'de evlilik yaşı yukarı çıkıyor. İnsanlar daha geç evleniyor. Merak etme." Ama ne desem nafile. Türkiye ortalamasının hayli gerisinde olduğum gerçeğini değiştirmedi hiçbir şey. Derken, otuz dört oldum. Ve anneannemin duaları kabul olundu.

Ne var ki evlilik beraberinde yerleşik bir düzeni getirmedi. Reçel kaynatmayı, börek yapmayı, şık sofralar donatmayı öğrenemedim hâlâ. Karnemi saklıyorum. Kadınlık ve ev kadınlığı sınavlarından her sene olduğu gibi gene çakıyorum. Bütünlemelerde geçiyorum ama. İte kaka. Çalışa çalışa. İçimdeki göçebe serseri bir türlü bir yere yerleşemedi. İstanbul'dayken bile bir buçuk senede bir yeni bir eve kiraya çıkma gereği duyan ben, sırtımda kaplumbağa kabuğum, elimde bavulum, aklımda kitaplar, gönlümde hikâyeler... Kimi kadınlar evlenseler de evlenmeseler de daima Alis arızalar diyarında...

***

İskoçya'da, Edinburgh'da, şehrin meşhur kalesine bakan bir mekânda tek başıma oturmuşum, yazıyor ve düşünüyorum. Yoldan gelen geçenleri seyrediyorum. Yeni bir seneyi karşılıyor olmanın heyecanı okunuyor insanların yüzlerinde. Sanki tertemiz bir sayfa açacağız. Bütün insanlık. Öyle zannediyor ya da zannetmek istiyoruz. Güzel geliyor bu his. Bir yenilik, bir tazelik arayışı her yerde.

Burada ne aradığımı soruyorum kendi kendime. İstanbul'dan, sevdiklerimden, dostlarımdan, okurlarımdan uzak. Bir yanım bir yanıma kızgın, sitemkâr. Bir yanım istiyor ki her şey sade ve sıradan ve alışıldık olsun. "Alışveriş yapayım, çantalar alayım ve şık pabuçlar, ha bire kopardığım tırnaklarım kırk yılda bir manikürlü olsun, bu kadar hırpalamaya ne gerek var. Bildik suların sükûnetinde güven duymak varken. Her gün bir öncekinin tekrarı olsa ne çıkar?" Ama bunları söyleyen yanımın pek fazla söz hakkı yok iç demokrasimde.

"Roman yazmak için atıyorsun kendini yollara" diyor sevgili bir dostum. "Değiyor mu bu kadar gurbete, hasrete? Roman hayattan daha mı önemli yani?"

Zihnimi kurcalıyor bu laflar. Halbuki ben hayattan ayrı bir yazı, yazıdan ayrı bir hayat bilmiyorum ki.

Tanıdığım herkes, bilhassa kadınlar, çekip gitmek istiyor. Tanıdığım herkes, bilhassa kadınlar, çekip gitmek istediği halde gitmiyor, gidemiyor. Günün sonunda nereye gidildiğinin de hiçbir önemi yok aslında. Gidebilmek aslolan. Varmak değil. Dünyayı dolaşmalı. Yeni yerler, başka haller, öte diyarlar görmeli. Evliya Çelebi o dönemde yaptıysa biz neden yapamayalım?

Gene de biliyorum, bu kadar basit değil. Değil elbet.

Basit olmadığı için zaten dolanıyoruz arızalar diyarında.

Bir Yazarı Kıskanmak

Joyce Carol Oates çağdaş Amerikan edebiyatının en güçlü ve en özgün seslerinden. Benim de en sevdiğim yazarlardan biri. Ellinin üzerinde romana imza attı ve onlarca kısa hikâye kaleme aldı bugüne kadar. Son derece üretken, girişken, kıvrak bir kalemi var; her ne kadar eleştirmenler yazdığı her eseri eşit kalitede bulmasalar da.

Oates şaşırtıcı bir kitapla çıktı sadık okurlarının karşısına. Bir roman yerine oturup kendini anlattı. Tam kırk yedi senelik eşini kaybettikten sonra yazdığı bir otobiyografi bu. "Eş" olmaktan çıkıp "dul" olmaya geçişini anlatıyor. "Evli kadın"dan "dul kadın"a.

Dul olmak erkekler için de muhakkak ki son derece zor ve sarsıcı. Hüzün yüklü. Ama bir sosyal tanımlama olarak o kadar da belirleyici değil. Halbuki kadınlar için dulluk bir kimliktir adeta. Onları toplumsal haritada bir yere yerleştirir. Bir konuma, bir kategoriye sokar. Eşi ölen kadın da, eşinden boşanan kadın da bu kategoride addedilir. Ben de dul bir anne tarafından büyütüldüğüm için, çocukluğumdan itibaren merakla gözlemlerim toplum dullara nasıl bakar, nasıl yaklaşır diye.

Öte yandan Oates'ın kitabında bir kadın yazarın duygusal ve tutkulu dünyasına dair son derece çarpıcı noktalar var. Ama belki de beni en çok şaşırtan boyut "yazar kişi" ile "evdeki kişi" arasındaki uçurumu görmek. Kendisi de gayet farkında bunun. Başka türlü evliliğini yürütemeyeceğini söylüyor. Yani kitapları yazan kadın, yazı masasından kalktığı an ortadan kayboluyor ve onun yerini daha evcimen, daha yumuşak bir kişilik alıyor. İki ayrı insan var ortada.

İşin daha ilginç yanı, bu kadar uzun zaman evli kalmalarına ve her zaman son derece yakın olmalarına rağmen, Oates, kocası Raymond'ın onun kitaplarının çoğunu okumadığını, bilmediğini söylüyor. Yani değil yazarken eşiyle paylaşmak, yazdıktan sonra bile okutamıyor. Eşi Raymond da oturup "Karım ne yazmış acaba?" diye merak edip okumuyor. Burası biraz meçhul. Acaba Oates mı okutmak istemiyor, yoksa Raymond mı okumak istemiyor? Belki vakti yok.

Sonuç değişmiyor: Joyce Carol Oates'ın dünyanın her yerinde okurları var ama kendi evinde, kendi kocası kırk yedi sene boyunca neler yazdığını bilmiyor bile. Oates bu durumdan gocunmuyor. İfadelerinden şöyle bir çıkarsama yapmak mümkün. Eşi Raymond, "yazar kadın"a değil, "evdeki kadın"a âşık. Dolayısıyla kitapların müellifini değil, gerçek hayattaki eşini seviyor, ona bağlı.

***

Düşünmeden edemiyorum. Benim için galiba bunun 180 derece tersi geçerli. Sanmam ki Eyüp "evdeki kadın"ı sevsin. Ben olsam, ben de sevmezdim. Çünkü çekilecek gibi değilim. Roman yazarken aklım fikrim hayali karakterlerde ve sadece bencilim. "Çıkıp Boğaz'da güzel bir yemek yiyelim" dese, suratımdan düşen bin parça. Ne leziz yemekler pişirmeyi biliyorum, ne evi çiçeklerle donatmayı. Ne zarafetle misafir ağırlamayı becerebiliyorum, ne sosyal etkinliklere düzenli ve neşeli bir halde icap etmeyi. Bilhassa romanın ivme kazandığı dönemeçlerde, o uzun mevsimlerde beynimin içinde yaşıyorum. Ara ara çıkıp dünyayı kokluyor, sonra sincap gibi gene kendi kovuğuma dönüyorum.

Fiziksel olarak da kendimi salıyorum böyle dönemlerde. Ne takıp takıştırmak, ne kuaföre gitmek, ne üstüne çekidüzen vermek. Öyle bir bırakıyorum ki kendimi bir ben biliyorum. Bazen sokaklarda kendi kendine konuşan şehir delilerine rastladığımda, anında empati kuruyorum onlarla. İçimden

diyorum ki "Ben de bir şehir delisiyim aslında, neyse ki kimse farkında değil." Ha bire mırıl mırıl romandan bahsediyor, evde roman konuşuyor, uykumda roman sayıklıyorum. Kitap bitene kadar bu her gün böyle. Kitap bittikten sonra hızla normalleşiyorum ama bir sonrakinde gene aynı şeyler oluyor. Yazarken ne sinemaya gitmek istiyorum, ne televizyon seyretmek, ne sosyalleşmek, ne karıkoca el ele günbatımını seyretmek. Böyle birini niye sevsin ki Eyüp?

Bence benim kocam, beni değil, romanları yazan Elif'i seviyor. Bunu hep hissettim ama kendi kendime itiraf edemedim bunca zaman. Eyüp gündelik hayatta haklı olarak beni çekilmez bulmakla beraber, yazmakta olduğum ve henüz günışığı görmemiş bir romanın sayfalarından başını kaldırdığında, tebessümle bakıyor. Yüzünde muhabbet, saygı ve her zaman cömertçe verdiği desteği görüyorum. O zaman anlıyorum ve kabulleniyorum ki, o yazar kadını seviyor, evdeki bencil deliyi değil.

Ben galiba kendimi kendimden kıskanır oldum.

Yeteneksiz Bir Çocuğun Hikâyesi

Oldum olası nitelikli müziğe, yetenekli müzisyenlere hayranlık beslemişimdir. İçimden, kendimce. Her şeyin olduğu gibi bunun da bir arka planı var tabii. Bir hikâyesi. Beni Şafak Hanım yetiştirdi, annem. Her ne kadar evvela edebiyat öğretmeni, daha sonra uzun seneler diplomat olarak görev yapmış olsa da, aslında en büyük tutkusu müzikti hep. Üstelik Şafak Hanım bu alanda son derece kabiliyetli. Bir kere sesi çok duru ve bir o kadar eğitilmiş, geliştirilmiş. Muazzam bir repertuvarı var, senelerce ve profesyonelce dersler aldı, korolara gitti; yani işi layıkıyla öğrenmek ve icra etmek yanlısı olan, hani şu damardan Türk sanat musikisi âşıklarından.

1970'li yıllar. Ankara. Evde durmadan kaset çalardı. Öyle popüler müzisyenlerin kasetlerinden bahsetmiyorum. Her ne hikmetse Türk sanat musikisi korolarının haftalık prova kasetlerini dinlerdi annem. Yani öksürükler, hapşırıklar olurdu içinde. Hataları, gülüşmeleri, baştan almalarıyla. Zaman zaman koro şefi elemanlarını azarlardı mesela. "Olmuyor, olmuyor! Beyler! Hanımlar!" Ya da solo alan bir kadının sesi titrer, detone olurdu. Tekrar ederlerdi şarkıyı. Biz de evde oturur, yemek yerken, ortalıkta dolaşırken bunları dinlerdik. Annem bir de dizlerine vurarak şarkılara eşlik ederdi; ritim tutar, notlar alırdı. Patpata-pat-pata-pat-pat.

Günde yedi kere "Tuti-i Mucize Guyem"in provasını dinler yahut "Vücut İkliminin Sultanı Sensin"i ezberlerdim farkında bile olmadan. Dolayısıyla ben daha beş altı yaşında Dede Efendi'yi ismen de olsa biliyor, nice şarkıyı mırıldanabiliyordum. "Benzemez Kimse Sana", "Bir Kızıl Goncaya Benzer Dudağın", "Bu Akşam Bütün Meyhanelerini Dolaştım İstanbul'un"... Gözlerim kapalı sözlerini tekrar edebilirdim. Üstelik kelimeler farklıydı bu şarkılarda. Osmanlıca kelimeler,

ifadeler, benzetmeler hoşuma giderdi.

Şafak Hanım'ın bana karşı şöyle bir yaklaşımı vardı o senelerde: "Ben kendim müziği bu kadar sevdiğim halde bu alana yönlendirilmediğim, yeterince teşvik edilmediğim için tutkum amatör düzeyde kaldı. Ama şimdi ben, sevgili kızıma destek olmalıyım. Kendim görmediğim desteği ona vermeliyim."

Buraya kadar süper tabii. Şafak Hanım müthiş, gayet cömert gönüllü. Gel gör ki hikâyede minicik bir çatlak var. Hesapta olmayan bir durum. Bahsettiği kızın müziğe kabiliyeti sıfır! Hatta sıfırın altında, eksi sekizlerde seyrediyor. Annem henüz bunun farkında değil ya da durumu kabullenmek istemiyor. O da her anne gibi evladının üstün meziyetlerle donanmış olduğuna inanıyor. Dolayısıyla şöyle bir an hatırlıyorum. Annem ve ben el ele tutuşmuşuz, bir pazar sabahı, Kızılay Meydanı'na gidiyoruz. Şafak Hanım dönemin önemli bir müzik hocasından randevu almış. Beni ona götürüyor ki şayet muazzam bir kabiliyetim varsa bir an evvel ortaya çıksın, teşvik edilsin. Ben yedi yaşındayım. "Dünyanın En İçe Kapanık ve En Bunalım ve En Asosyal Çocukları Yarışması"nda dereceye girebilir, hatta birinciliği kapabilirim. O derece durgun, gözlemci, tek derdi kitap okumak olan ve durmadan ya kendi kendine ya da hayali kahramanlarla konuşan bir tuhaf çocuk.

Neyse, gittik. Hoca sağ olsun, son derece sıcak, sempatik davrandı. Müzik hakkındaki fikirlerimi sordu. Ben ona Huckleberry Finn'den bahsettim. O bana herhangi bir müzik aleti çalmak isteyip istemediğimi sordu, ben ona Oliver Twist dedim.

Bu arada annem, endişeli bir şekilde kenardan tezahürat yapmaya başladı:

"Elifcim hani evde söylediğin bir şarkı var ya, onu söylesene evladım, hani ne güzel söylüyordun, aaaa."

Uzun ısrarlar sonunda başlıyorum söylemeye. Ama ezgisiyle doğru dürüst söylemek yerine, kitap okur gibi okuyorum şarkıyı: Kar-ga-kar-ga-gak-de-di-çık-şu-da-la-bak-de-di. Adamcağız şaşkın bakıyor suratıma. Ne bir melodi var ortada, ne gayret, ne de kabiliyet. Sonunda anneme dönüp gayet nazik bir tebessümle şöyle dediğini hatırlıyorum. "İsterseniz, ısrar etmeyelim, üstüne düşmeyelim Şafak Hanım. Çocuğu kendi haline bırakalım."

Böylece çıktık. Annem ve ben. Kös kös. Gerisingeri. Ama Şafak Hanım yılmadı, hemen pes etmedi. Beni çocuk korolarına götürmeye başladı. Diğer çocuklar şarkı söylerken ben kenarda durup somurttum. Bir ay sonra öğretmen maaşından biriktirip bana mandolin aldı.

Kendisi aynı yaşlarda hep mandolin sahibi olmak istemiş, alınmayınca ağlamıştı ya. Ben de mandolin önüme konulunca ağladım "Ben bunu çalmak istemiyorum ki" diye. Böyle böyle nice hazin teşebbüsten sonra annem nihayet havlu attı. Anladı ki müziğe kabiliyetim yok. Kabullendi durumu.

Bazen oluyor böyle. Kendi yeteneklerimizin evlatlarımızda zuhur ettiğini sanıyoruz. Ama her çocuk, her insan kendi seyrüseferini yaşıyor, kendi renkleri ve meziyetleriyle âleme geliyor galiba. Gene de kenardan, köşeden de olsa iyi bir müzik dinleyicisi oldum. Ve Türk sanat musikisini hep sevdim, severim.

Bir Kuşun Öyküsü

İngiltere'de küçücük bir kafede oturuyorum. Önümde bilgisayar açık, internete bağlanmış Türkçe gazeteleri tarıyorum. Türkiye'de hiç okumadığım köşe yazarlarını yurtdışında satır satır okuyorum. Bedenim bir yerde kalmış, zihnim bir yere savrulmuş gene. Ayaklı kaos, sürekli bölünmüşlük, ilanihaye gurbet, çoğul coğrafyalar halinde dolaşıyorum. Beynimin kancaları takılmış memleket gündemine. Toplumsal barışı özlüyor, demokrasi sayıklıyorum. Okuyor ve ofluyorum bir yandan. Ofluyor ve okuyorum bir yandan.

Birden bir çığlık duyuyorum. Az ileride oturan yaşlı kadın ayağa fırlıyor, elindeki çayı üstüne dökme pahasına. Şaşkın vaziyette, onu bu kadar korkutan şeye bakıyorum. Orada bir kuş var. Bir güvercin. Nasıl olduysa açık kapıdan içeri girmiş. Kafenin dört yanı camlarla kaplı. Güvercin ise pencereleri ayırt edemiyor. Telaşla uçup uçup, hızla camdan duvara tosluyor. Sersemliyor darbeden. Toparlıyor kendini. Tekrar son sürat havalanıp, bu sefer yandaki pencereye çarpıyor. Özgürlük için çırpınıyor. İnatla, hırsla. Ne yazık ki körü körüne. Birkaç kez daha yaparsa bu hamleyi, ölecek güzümüzün önünde.

Kafede bir panik başlıyor. Garsonlardan biri Polonyalı, öteki Rus, üçüncüsü İspanyol. Elinde kahvesiyle donmuş kalmış Arap bir kadın var geride, tepeden tırnağa örtülü. Şimdi içeri giren çift İngiliz. Az evvel çığlık atan kadın ise muhtemelen Japon. Minyatür Birleşmiş Milletler gibiyiz. Hep beraber başlıyoruz kuş kurtarma operasyonuna. Beklenmedik bir dayanışma, yardımlaşma zuhur ediyor aramızda.

"Siz oradan kovalayın, ben sağdaki açık cama yönlendireyim" diyor İngiliz adam. Belli ki insanları örgütlemeye alışkın. Belki de bir yerde patron.

"Olmaz öyle. Çekilin siz, bende eldiven var, ben tutarım" diyor Rus garson gayet otoriter.

Herkes kendi bildiği yöntemle koşuyor. Atkı, eldiven, şal... Bende de kitap var. Amy Tan'ın eski bir romanını yeniden okuyorum bu aralar. Ne işime yarayacaksa ben de romanı kapıp katılıyorum kervana.

Güvercin bir sağa yalpalıyor, bir sola. Birleşmiş Milletler de aynen bir o yana bir bu yana. Ne yazık ki işe yaramıyor. Tam tersine kuşu daha beter korkutuyoruz.

Havalanıp yeniden cama çarpıyor kafasını. Korkunç bir ses çıkıyor. En son rahmetli Hrant Dink'in cenazesinde görmüştüm güvercin çaresizliğini. İçim cız ediyor.

O anda içeri giren kürklü bir kadın, "Aman dikkat edin sandviçlere konacak" diye bağırıyor.

O sandviç derdinde, biz can derdinde. Kafenin patronu yetişiyor gürültüye. Asabi. Heybetli. Garsonların suçuymuş gibi emir veriyor: "Çıkarın şu hayvanı!"

Ve biz orada... Polonyalı, Arap, İngiliz, Türk, Rus, İspanyol hepimiz çare arayarak, ölmesin kuş diye çırpınıyoruz. Sonra... Elbirliğiyle çıkarıveriyoruz güvercini.

Birbirimize bakıyoruz. Bir tuhaf sevinç, bir saklı gurur. O anda ne ulusal, ne dinsel, ne etnik ayrımların önemi var. Bir kuş kurtardık bugün. Ya da denedik hiç olmazsa.

İnsanoğlu, insankızı isteyince ne kadar şefkatli, isteyince ne kadar cani...

Cinnetin Tanıkları

Dört yaşında bir oğlan çocuğuyum. Adım yok benim. Vardı, sır oldu. Karatahtaya titrek tebeşirle yazılmış çizgiler gibi. Bir dokunuşta siliniverdi. İki harften ibaretim gazetelerde. E nokta K nokta. Emrah da olabilirim Emre de. Eren de olabilirim, Elem de. Erguvan da olabilirim Evsiz de. Esef de olabilirim Ehemmiyetsiz de. Bir iki satırla bahsetmişler benden. Gazeteci ablalar, gazeteci abiler.

Yazdıkları yazılarda ismimin ve soyadımın baş harfleri var sadece. Okuyanlar kafalarını sallayıp, kaşlarını çatıp, tahtaya vuruyorlar belki de. "Şeytan kulağına kurşun!" diyorlar yüksek sesle. Onların başına gelmesin diye bizim başımıza gelenler. Varlığımın bir önemi yok. Ne de çocukluğumun. Ne de tanıklığımın. Yaşadıklarımı bir ömür boyu unutmayacak, unutamayacak oluşumun.

Uyandım bu sabah. Uyandım beter bir kâbusun ardından. Ama gözlerimi açmak istemiyorum. Kapalı tutarsam, sımsıkı yumarsam gözkapaklarımı, belki uçuverir dün gördüklerim. Ya da ben kaybolur giderim, saklambaç oynarcasına. Sessizce eksilirim. Gözlerimi kaparsam her şey eskisi gibi olur sanki. Her şey yerli yerinde. Annem bir hastane odasında, sıra sıra beyaz yataklar arasında, ölümle boğuşuyor olmaz mesela. Hemşireler, doktorlar etrafında. Gazeteciler kapıda. Bir görüntü almak isterlermiş. "Görüntü" ne tuhaf, ne yabani kelime. Dedim ya, gözlerimi kaparsam, her şey eski haline döner belki; biz gene el ele yürürüz sokaklarda. Annem ve ben. Havada bahar. Rüzgârda tatlı bir koku. Adeta akide şekeri. Tarçınlısından. Korkacak hiçbir şey yokmuş sanki.

Gölgesinden kaçacak kimse yokmuş gibi. Kendi babam, öz babam, anamın katili olmaya soyunmamış gibi. Gene yürürüz biz anacığımla yollarda, simit alırız yaşlıca, kara kuru bir

simitçiden. Ben kocaman ısırır, hızlı hızlı yerim; anam güler, ağız dolusu. "Yavaş evladım, tıkanacaksın" der. Tıkanmamı istemez. Bana bir şey olsun istemez. Korur beni, kollar, sever. Saçlarımı okşar sonra. "Benim aslan oğlum" der. Sonra ekler usulca. "Allah var yukarıda, gece gündüz fark etmez, gökyüzünden bize bakıyor Yaradan..." Öyle der annem. Süt kokulu, incir kokulu, susam kokulu, kan kokulu anacığım. Annemin ellerinde, kollarında, bacaklarında ve boğazında katmer katmer çiçekler açtı. Bıçak yarasından çiçekler. Kapanmıyorlar. Kanıyorlar oluk oluk. Kanıyorlar gecelerimin, gündüzlerimin üstüne. Annemin de ismi yok. O da iki harften ibaret gazetelerde. Z nokta K nokta. Zeynep de olabilir Zarife de. Züleyha da olabilir Zulüm de. Zifiri de olabilir gözlerinin rengi gibi siyah, Ziyan da geçip giden hayatımız gibi. Allah yukarıda, her daim bize bakıyorsa, neden tutmadı babamın ellerini dün yol ortasında, neden durdurmadı, bilmiyorum. Sorsam kızarlar mı bana, "Günah, sus bakayım!" derler mi, soramıyorum. Bekliyorum hastane koridorlarında. Bekliyorum annem iyileşsin, taburcu olsun diye.

***

Ya sonra?.. Babam dışarıda, koca şehrin karanlıklarına karıştı. Bir köşe başında, bir ağaç arkasında, bir kuyu başında bekliyor mu bizi? Gene öldürmeye kalkacak mı anacığımı? Korur mu bizi yasalar? Kollar mı polisler? Anlar mı mahkemeler? Umursar mı gazeteciler? Duyar mı sesimizi o yazıları okuyanlar? Kimse var mı orada? Kimsecikler?..

Babam bunca sene aynı yastığa baş koyduğu, telli duvaklı gencecik kızken gelin aldığı, yemeklerini yediği, demli çaylarını içtiği ve her gün çamaşırlarını yıkayan, evini çekip çeviren kadını bıçakladı dün. Koyun keser gibi kesmeye kalktı yol ortasında. Bir üstgeçidin altındaydık biz. Arabalar kayıverdi yanımızdan vızır vızır. Yayalar geçti gitti uzaktan. Telaşla. Kaçarcasına. Kimse koşmadı imdadımıza. Kimse bakmadı bile. Ben dondum. Ben bir heykel oldum. Kıpırdayamadım, bağıramadım, mâni olamadım. Babam anacığımı keserken göz oldum, seyrettim. Ağız oldum, kapandım. Duvar oldum, çöktüm. "Büyüyünce sen baban gibi olma" diye tembihler anacığım. "Sen karıncayı bile incitme evladım, hele ki kendi karını, evladını. İyi davran, eşit davran, hakça davran." Sonra ekler ardından: "Ben hayatta olmasam bile o zaman, sen hep iyi bir adam ol, olur mu?" Babam annemi gene bıçaklarsa, annem de gökyüzüne yükselecek, öyle mi? Allah Baba'nın cennetine gidecek. Oradan bakacak bana. Öyle diyor annem. Dört yaşında bir oğlan çocuğuyum ben. Gücüm yetmez babamı durdurmaya. Gücüm yetmez anacığımı korumaya. Sizin yeter mi?

Kimse var mı orada? Kimsecikler?..

Not: Bu yazı, boşanmak istediği için oğlunun gözleri önünde ve yol ortasında kocası tarafından defalarca bıçaklanan, sonunda öldü zannedilerek bırakılan, hastanede mucize eseri hayata dönen Z. K.'ya ithaf edilmiştir.

Hoşça Bak Zatına

"Hoşgörü" kelimesi eskisi gibi rağbet görmüyor, farkındayım. Pabucu dama atıldı. İki sebepten ötürü. Kimileri zaten toptan karşı bu kelimeye. Fazla eşitlikçi buluyorlar. "Öyle her önümüze gelene niye hoşgörü gösterecekmişiz?" diye itiraz ediyorlar. Öte yandan meselelere daha demokrat bakanlar ise diyorlar ki: "Hoşgörü kelimesinde saklı bir hiyerarşi var. Hani sanki biz tepede bir yerdeyiz de birilerini hoşgörüyoruz." Onlar da kelimeyi yeterince eşitlikçi bulmuyorlar.

Böylece canım "hoşgörü" kelimesi kimseye yaranamadan, arada bir yerde, daim arafta, yaşlı bir ağaç gibi tek başına yaşamını sürdürüyor. Halbuki ne güzel laftı "hoşça bak zatına!" Öyle selamlardık vaktiyle birbirimizi bir başka dem, bir başka baharda. Hani bugün "kendine iyi bak!" diyor ya gençler, ondan daha güzel, daha şiirsel bir temenni değil mi? Peki ya bir adım ötesi? Dilimiz dönüyor mu ona? "Hoşça bak zatına, hoşça bak cümle kâinata."

Gelin bir test yapalım beraber. Modern dünyadan kotarılmış sorular, gündelik hayattan alınmış örneklerle. Hayata hoşça mı bakıyoruz, yoksa boşça mı testi!

1- Oğlunuz yirmi altı yaşında. Üniversiteyi bitirdi, çalışma hayatına geçti. Bugün geldi, kazık kadar adam, dikildi karşınıza. Alı al moru mor. Belli ki bir sıkıntısı var, nasıl söyleyeceğini bilmiyor. "Uzatma evlat, nedir derdin?" dediniz. Ve öğrendiniz ki evlenmek istiyor. Amma velakin âşık olduğu kız Alevi çıktı (şayet Alevi iseniz lütfen burayı "Sünni çıktı" olarak okuyun). Ne yaparsınız?

   a) Alevi'ye Sünni'ye bakmam ben. Evvela kız iyi biri mi, oğlumu mutlu edecek mi onu anlamaya çalışırım.

   b) Geleneklerimizde keramet var. Evvela bir tanımak iste-

rim. Sonra görücü gideriz, bakarız. Aileler tanışır. Anlaşırsak neden olmasın?

c) Oğlumu karşıma alır, büyük bir hata yapmak üzere olduğunu anlatırım. "Alevi ile Sünni zeytinyağı ve su gibidir, evlat. Biz karışamayız" derim.

d) Ağzıma geleni söyler kıyameti koparırım. Sinirimden hanımı da haşlarım. O bu hale getirdi bu oğlanı! Terbiyesiz herif! Ulan bu yaşa getir, bir de itaatsizlik etsin. Yok öyle şey. Bu evliliğe hayatta izin vermem, olacağı varsa da bozulması için elimden geleni yaparım.

2- Kimseye el kaldırdınız mı? Kimseye el kaldırır mısınız?

a) Hayır. Şiddetin her türlüsüne karşıyım.

b) Allah göstermesin. Allah sınamasın. Olur mu öyle şey? İnsan, insanı incitsin diye değil, muhabbetle sevsin diye yaratılmış.

c) Şimdi herkesin bir hayatı var. Olmasın tabii ama olabilir de. Tabii olmasa daha iyi de, bazen mecbur kalır insan dövmeye.

d) Ben lafımı gevelemem kardeşim. Harbiden söylerim. Neyse o. Gerekirse döverim de severim de. İkisi de cennetten çıkma.

3- Televizyon izliyorsunuz. Fikirleri size uymayan iki kişi konuşuyor. Gündemi değerlendiriyor, kıyasıya eleştiriyorlar. Ne yaparsınız?

a) Şayet dinlemeye değer bir şey söylüyorlarsa, oturur dinlerim. Farklı fikirler duymayı severim. Beyin jimnastiği! İnsan kendine benzemeyenden öğrenir.

b) Her konuda herkesin aynı düşünmesi mi lazım? Olur mu öyle şey? Beş parmağın beşi bile birbirine benzemezken. Öyle yaratmış bizi Yaradan. Bu dünyada çeşitten bol ne var?

c) Kanalı hemen değiştiririm. Çekemem bu saatte.

d) Valla bir küfür basarım. Çoluk çocuk oturmuş televizyon seyrediyoruz. Aile reisi olarak onların öyle sakıncalı fikirler duymasını istemem. Kumanda hep bende durur zaten.

4- Karşı daire epeydir boştu. Bugün baktınız birileri taşınmış. Kimmiş bu yeni kiracılar diye kapı deliğinden gözetlediniz. Efendi tiplere benziyorlar ama belli olmaz bu dünyada. Derken dedikodusu ulaştı. "Ayol bunlar eşcinselmiş." Ne yaparsınız?

a) Bir şey yapmam. Ben nasıl insansam onlar da insan. Benim için önemli olan kişilikleri. Şayet karakterlerimiz uyuşursa arkadaş olurum, neden olmayayım?

b) Valla komşu komşunun külüne muhtaçtır, komşuluğumu yaparım.

c) Selamı sabahı esirgerim. Mümkün olduğunca uzak dururum. Bu şeyler bulaşıcı olabilir.

d) Eyleme geçerim. Apartmanda gizli toplantı düzenler, yöneticiye hakaretler savurur, böyle insanları apartmanımıza sokan ev sahiplerine lanet yağdırır, atılmaları için bizzat uğraşırım.

Cevaplarınızda a şıkkı çoğunluktaysa: Akılcı demokrat: Nesli tükenen kaplumbağa gibisiniz.

Cevaplarınızda b şıkkı çoğunluktaysa: Rindane geleneksel: Muhafazakâr ve inançlı her insanın sanıldığı gibi demokrasi karşıtı olmadığının en güzel örneğisiniz.

Cevaplarınızda c şıkkı çoğunluktaysa: Sınır insanı: Henüz despot değilsiniz ama kaygan zemindesiniz. Her an totaliter bir sisteme kayabilirsiniz.

Cevaplarınızda d şıkkı çoğunluktaysa: Nefs-i gökdelen: O kadar büyük bir egonuz var ki, zerre kadar özeleştiri yapmayı sevmiyor, hoşgöremiyorsunuz.

Camdan Gettolar

İngiltere'de sokakta yürüyorum. Karşıdan bir çift geliyor. Adam siyah, kadın ise beyaz. İkisi de orta yaşını çoktan geride bırakmış, el ele tutuşmuşlar. Ağır ağır yürüyorlar. Mevsimlerden ikinci bahar. Belki de birbirlerine çok geç kavuşmuşlar. Derken bir meydanda bir başka aileye rastlıyorum. Adam ve kadın beyaz, İngiliz, evlat edindikleri çocuk siyah, Afrikalı. Ve sevgiyle tutuyorlar elini, muhabbetle... Öylesine uyumlular. Farklı ırklardan, farklı dinlerden, farklı dillerden çiftler görmek insanlığa dair umudumu artırıyor. Demek ki biz, bizlere çocukluktan itibaren söylenen tüm önyargılara ve kalıplara rağmen zihnimizin duvarlarını aşabiliyor, birbirimizi sevebiliyor ve sevilebiliyoruz. Demek ki insan, her yerde insan. Dünyanın her yerinde benzer hüzünleri, aşkları, hüsranları...

Ne var ki camdan bir gettoda yaşıyoruz çoğu zaman. Farkında bile olmadan. Cam şeffaf ya, hani arkasını görebildiğimiz için zannediyoruz ki etrafımız açık, açıklık. Halbuki ha tuğla, ha cam, sonuçta katı ve donmuş, sonuçta aynı yalıtılmışlık. Gettoda hayat tekrara ve aynılığa dayanır. Her gün bir öncekinin aynıdır. Her ahbap, her arkadaş bir başkasına benzer. "Adamım" dediklerin aslında seni zihnen daraltır, ruhen kuşatır. Gettoda farklılıklar "yok" denilecek kadar azdır.

Rutinden beslenmez insan. Herkesin birbirine benzediği ortamlardan sanat çıkmaz. Edebiyat çıkmaz. Felsefe çıkmaz. Yaratıcılık çıkmaz. Aynılık, sadece kendini doğurur, tek bir sesin yankılarıyla geçer zaman. Bir toplum benzerlikten, monotonluktan, tekrarlardan değil; sentezlerden, yeniliklerden, dinamik ve demokratik bir ritimden beslenir. İnsan, şu hayatta bir şey öğrenecekse şayet, kendisine benzemeyenden, kendisi gibi olmayandan öğrenir.

Türkiye'nin camdan gettoları var. Ve bizler bu toplumsalekonomik-kültürel gettoları, zihnimizdeki şeffaf duvarları aşmadıkça, aşamadıkça, ne toplumsal gerginliği azaltabiliriz, ne birbirimizi yeterince anlayabiliriz. Türbanlı-türbansız, Kürt-Türk, Alevi-Sünni, iktidar yanlısı-muhalefet yanlısı... İkilem ikilem ikilem. Şüphe ve tedirginlik doğurur gettolarda hayat. Çünkü insan bilmediği şeyden korkar. Şayet hiçbir dostane bağ yoksa farklı özneler arasında, birbirlerine düşmanlık gütmeleri de bir o kadar kolaylaşır. Nedendir birbirimize güvenemeyişimiz?

Dinsel değil bugün yaşanan gettolaşmanın sebebi, etnik değil, sınıfsal değil. Siyasi görüşlerimize göre kutuplaşıyor, adalaşıyoruz. Küskün, kızgın ve şüpheci insanlar olduk. Seçimler öncesi gerilimdi, seçim sonrası gene gerilim. Herkese, her şeye ama en çok da kendimize, birbirimize küsüyor, kızıyor, sataşıyoruz. Dışarıdan bakan bir gözlemci ne der? Türk insanının kendi kendini yıprattığı sonucunu çıkarır muhtemelen. Birbirimizin enerjisini, yaratıcılığını, hevesini, rüyalarını, gayretkeşliğini, üretkenliğini, yeteneklerini tırpanlıyor, birbirimizi a-zal-tı-yo-ruz.

Sonra ne olur? Bir gün bir çıkarsınız yurtdışına, Türkiye'deyken birbiriyle konuşmayan, biri sağcı biri solcu, biri Kürt biri Türk, biri türbanlı biri türbansız, iki kişinin Amerika'nın filanca kasabasında ya da Avrupa'da filanca şehrin banliyölerinde nasıl birbirlerini bulduklarını, arkadaş olmayı başardıklarını görürsünüz. Şaşırırsınız. Avrupa'da verdiğim her imza gününde beklenmedik dostluklara tanık oluyorum. Türbanlı kız öğrenci ve kulağı küpeli solcu ya da Kemalist öğrenci... Bambaşka aile yapılarından gelen insanlar aynı Batı şehrinde kendilerini "yabancı" konumunda bulunca, sıfırdan arkadaş olmayı başarıyorlar. Buradayken yan yana gelmez sanılanlar, gurbette birbirlerine hoşça bakıyorlar.

Birbirimizi tanıyabilmek, camdan gettolarımızdan çıkabilmek için illa da gurbete mi gitmemiz gerek?

Bir Atkı Hikâyesi

Bayramda, İngiltere'de, sempatik bir Türk ailenin işlettiği bir pastanede oturuyorum. Önümde bilgisayar, yazıyorum. Buradan başka bir yerde ince belli bardakta çay ikram edildiğini görmedim. Girip çıkan müşterileri izliyorum bir yandan. İngilizler, Polonyalılar, Ruslar, İspanyollar, Almanlar... Arada ne zaman bir Türk aile gelse hemen fark ediyorum. Bayramlıklarını giymiş el öpmeye gelmiş boy boy çocuklar, kar beyaz mendillere konulmuş güllü lokumlar, yanaklarını rujla kızartmış anneler, ailesiyle gurur duyan babalar, gurbette bir bayram daha geçiren göçmenler...

Bugün benim anket günüm. Sağ olsun pastane çalışanları, sorduğum soruları sabırla yanıtlıyorlar.

"En çok neyi özlediniz?" diye soruyorum.

"Türkiye'nin yemeklerini, insanlarını, bayramlaşmalarını... Özlenmez mi?" diyor pastacı kadın. Gözlerinde utangaç bir parıltı.

"Peki neyi özlemediniz?"

"İşte hani tahammül edemiyoruz ya, bağırıyoruz çağırıyoruz, onu özlemedim" diyor. "Burada bir bankaya girin bir bakın, kimse kuyrukta kavga etmiyor. Fatura yatırılacak, kimse kimseye bağırmıyor. Herkes sırasını bekliyor."

Gerçekten de İngilizler kuyrukta sabırla, nezaketle bekleme konusunda dünya çapında ün yapmış insanlar. Bir teoriye göre, İkinci Dünya Savaşı'nda bombalanmış olmalarının bunda etkisi büyük. Ne de olsa o dönemde uzun yemek ve yakıt kuyrukları vardı. Kıtlık, açlık ve nice zorluk içinde insanlar dayanışmayı, yardımlaşmayı daha iyi öğrendi.

Düşünmeden edemiyorum. Türkiye'de aslında kaç kuşak yağ, şeker, yakıt kuyruklarına tanık oldu? Bugünkü nesil bunları bilmesin daha iyi, elbette. Ama o zor günlerden geriye neden kuyrukta sabırla bekleyebilme alışkanlığı kalmadı bizde? Bayram, şayet kendi içimizde, benliğimizde temizlik yapmaz isek, sadece adı bayram. Şekli bayram. Özü değil.

Öğleden sonra kapı açılıyor. Bir baba ile oğlu giriyor içeri. Babanın gür, koyu bıyıkları var. Oğlan yedi-sekiz yaşlarında. Kürt olduklarını tahmin ediyorum. Merak ediyorum. Benim Türk pastacılarla Kürt müşteriler bayramlaşacak mı? Bayramlaşmıyorlar. Kasanın yanında, gümüş bir kâse içinde öylece duruyor bademşekerleri. Canım sıkılıyor.

Baba ile oğul birkaç şey alıp gittikten sonra dayanamıyorum, sempatik pastacıya soruyorum. "Ya az evvel gelenlerle neden bayramlaşmadınız?"

"Onların âdetleri başkadır" diyor.

"Nasıl başka? Onların bayramı farklı bir bayram mı? O kalkmış gelmiş belki Van'dan, Urfa'dan, Konya'dan. Sen gelmişsin İstanbul'dan, Ankara'dan. Bayram aynı bayram. Bir bademşekerini paylaşmayı başaramayacak mıyız?"

"Haklısınız ama görmüyor musunuz? Bunlar politik insanlar. Bakın çocuğuna ne giydirmiş adam, kırmızı, sarı, yeşil atkıları var ya, işte onların renkleri. Kafalarında ayrılmak var. Ben niye selam vereyim."

Az evvel bana niye İngilizler gibi kuyrukta nazikçe bekleyemediğimizi soran, memleketi ne kadar özlediğini anlatan pastacıyı dinlerken içim acıyor. Derken ani ve deli bir sezgiyle ayaklanıyorum.

"Aman eşyalarıma mukayyet olun, hemen geliyorum" diyorum.

Fırladığım gibi çıkıyorum pastaneden. Az evvelki baba ile oğlunu bulmam lazım. Anlamam lazım. Bir o tarafa koşuyorum, sonra durup tam ters yönde koşuyorum. Gören "Kafayı yedi" diyecek. Sokağın bitiminde, nefes nefese; köşeyi döner dönmez işte oradalar, otobüs durağında. Yanlarına gidiyorum. Otobüs yaklaşıyor. Konuşmaya vakit yok. Bir şey merak ediyorum. Çocuğun boynundaki atkı ne?

Burada Salvation Army diye ucuza kıyafet satan dükkânlar var. Oradan alınmış, gayet sıradan, kırmızı, sarı ve turuncu çizgileri olan bir atkı var çocuğun boynunda. Hiçbir politik mesajı olmayan.

Onlar otobüse biniyor, ben durakta biraz düşünüyorum.

Birbirimizi göremeyecek kadar şüphelerle mi doldu zihnimiz?

Eğer bayramda önyargılarımızı temizlemeyeceksek, ya ne zaman dostlar?

Evlilikte Erkek Olmak

Gençliğin tanımı nedir diye sorsanız, ne yaş ile açıklarım, ne kendini zinde hissetmekle. Bence gençliğin sırrı bambaşka bir yerde. Şu dünyayı kocaman ve rengârenk bir tiyatro sahnesi görüp, kendini de başrole (ya da ona yakın bir konuma) yerleştirmek demek, aslında genç olmak. Önemli şeyler yapacağına, bir fark yaratacağına, eski usulleri değiştirebileceğine, velhasıl değişimin mümkün olduğuna inanmak. Bundan dolayıdır ki altmış yaşında da genç olmak mümkün. Ya da tam tersine, yirmisinde bile gençliğini tam olarak yaşayamamak.

Yaşlılık ise başrolden (ya da başrol arayışından) vazgeçip usulca sahneden inmek, seyirci sıralarına oturmak demek. Hayata biraz daha uzaktan bakmaya başlamak ya da kenardan. Daha fazla tevekkül. Hepimiz yaşıyoruz galiba bu dönüşümü. Kimilerimiz daha erken, kimilerimiz daha geç, belki de tek farkı bu.

Aile kurumu bu değişimi hızlandırıyor. Çoluk çocuk sahibi olduktan sonra daha çabuk vazgeçiyoruz başrol oynama sevdalarımızdan, hırslarımızdan.

Hele emekliye ayrılıp bir de torun sahibi olduk mu daha bir rahat gömülüveriyoruz seyirci koltuklarına. Dünyayı değiştirmeyi başkalarına bırakıyoruz. Ruhu ve kalbi genç olanlara.

***

Aile kurumunun karmaşası, bilhassa "burjuva evlilik müessesesi", şu hayatta yazarları en çok düşündüren konuların arasında geliyor. Dün olduğu gibi bugün de öyle. Tolstoy'dan bu yana pek fazla bir şey değişmedi. Hâlâ "mutlu" aileleri bir kenara bırakıp hatta sıkıcı ve banal bulup, mutsuz aileler hakkında romanlar yazıyor, filmler çekiyoruz. Hepimiz aslında gizli gizli kendi çocukluklarımızın muhasebesini yapıyoruz. Kendi örselenmiş kırgınlıklarımızı döküyoruz kâğıda. Kabuk tutmuş yaraları kaşıyoruz. Başka isimler, başka hikâyelerle üzerini kapatsak da.

Ben ne vakit kendi "sosyalleşme süreci"me baksam, –çocukluktan genç kızlığa, oradan da yetişkinliğe uzanan o uzun ve engebeli yolda– bir sürü arıza buluyorum. Yolda kaç kez lastiğim patlamış, arabam kaza yapmış, motor teklemiş, dumanlar çıkmış ama fark etmemiş, sürmeye devam etmişim.

Bu yüzden belki de bir türlü kadın-gibi-kadın olmayı başaramamam. Bu yüzden yazı yazarken kendimi hem erkek hem kadın sanmam.

Geçenlerde çok sevdiğim bir dostum bana, "Siz aslında gay bir çiftsiniz" dedi. Şaşkınlıkla bakakaldım. "Yok, yok, şaka yapmıyorum" diye üsteledi. "Bak anlatayım. Şimdi geleneksel evlilik kurumunda kadın sürekli fedakârlık yapar. Kendinden verir. Ha bire. Ben de öyle yaptım. Kocamın kariyeri için kendiminkinden vazgeçtim. Gitmek istediğim yerler vardı. Görmek istediğim memleketler. Onları da bıraktım, erteledim. Yerleşik hayata geçtim. Önce kocam, sonra çocuklar, yani aile kurumu için ben kendimi değiştirdim, azalttım. Bu sence tipik bir kadın davranışı değil midir?"

"Düşünüyorum" diyorum, sözlerini tartarak.

"Peki şeker, sen düşünmeye devam et, ben anlatayım. Şimdi bir de sana bakalım. Sen kendi evliliğinde kadın gibi değil, resmen erkek gibi davranıyorsun. Benmerkezcisin. Erkek gibi benmerkezci yani."

"Haklı olabilirsin" diyorum, yanaklarım kızarıyor.

"Bu arada Eyüp'e bakalım. Hani bazı erkekler, kendi evliliklerinde 'kadın' rolünü üstlenir. Sayıları azdır. Bu sefer onlar kendilerini eşlerine adarlar. Mesela yazar Iris Murdoch'un eşi öyle yapmıştı."

Doğru. John Bailey bir anlamda kendisini karısının sana-

tına, edebiyatına adamıştı. Fazla olmasa da bu tür örnekler var dünya edebiyat tarihinde.

Arkadaşım devam ediyor. "Ama gel gör ki Eyüp öyle davranmıyor. Mesela sana tabi olmuyor, kalkıp peşinden yollara düşmüyor. Tam tersine o da kendi dünyasını, işini, ilkelerini, hayallerini kovalıyor. Uzun lafın kısası, bu evlilikte kimse kadın değil yahu! Diyorum ya gay bir çiftsiniz, farkında değilsiniz."

Yazarlara uzaktan bakınca onları aklı başında, planlı programlı insanlar zannediyoruz ama aslında gayet sıradan gündelik hayatları, ipe sapa gelmez hayalleri, alabildiğine çocuksu ya da saçma yanları, bitmeyen zaafları, kompleksleri, velhasıl inişli çıkışlı "nefs" sınavları, bazen de gay evlilikleri var. Hem de nasıl.

Filanca Bey ve Eşi

Bilmem hiç zihninizi kurcalar mı? Böyle büyük, kelli felli davetlerde, garip bir uygulama vardır. Davetiye esasen erkeğin adına gönderilir. Diyelim ki filanca politikacı ya da falanca gazeteci veya bürokrat. Ancak eşli bir toplantı söz konusu olduğu için hanımının da gelmesi arzu edilir. Dolayısıyla zarfın üzerine şöyle bir şey yazılır: Fişmekan Bey ve Eşi.

Ne zaman bu tür zarflar görsem etrafta, düşünmeden edemem.

Eğer bir kişiyi bir yere davet ediyorsanız onun ismini öğrenmek gerekmez mi? Şayet profesyonel bir erkek bir yere çağrılıyorsa ve onun karısını da orada görmeyi samimiyetle arzu ediyorsanız, o insanın ismini yazmak çok mu zor? Bu şekliyle biraz saygısızlık aslında, ama böyle allı pullu zarflarda gelince fark edilmiyor belki. "Ali Efendi seni davet ediyorum, ha bir de karını" der misiniz gündelik hayatta? O insanın bir ismi var. Kocasından ayrı bir kişiliği var. Neden olmasın? Şu seçkin organizasyonların davetiyelerinde "Fişmekan Bey ve Falanca Hanım" yazsa ne olur? Hatta "Falanca Hanım ve Fişmekan Bey" olsa mesela?

Ciddi, kallavi ve erkek ortamlarda kadınların "eş kontenjanından" ikinci planda tutulmaları, daha zarftan başlıyor ya, davet boyunca da aynen devam ediyor. Kadınlar da ayak uyduruyorlar bu düzene adeta kendiliğinden. Hemen bir kenara toplanıyorlar. Çocuklardan, yemeklerden, havalardan, hastalıklardan bahsetmek üzere. Erkekler ise başka tarafa öbekleniyor. (Aralarında nadiren bir iki kadın olabiliyor. Onlara da "erkekleşmiş kadınlar" gözüyle bakılıyor. Kavgacı, hırslı, kadın gibi olmayan kadınlar kategorisinden.) Mühim meseleleri tartışmak üzere, memleketten, dünyadan, siyasetten, ekonomiden bahis açarak.

Halbuki bu konuların tek tek her biri, mademki beraber yaşıyoruz şu yerkürede, aynen biz kadınları da ilgilendirmekte. Biraz da biz konuşsak siyasetten, biraz da biz fikirlerimizi kolektif alanda paylaşsak. Ortadoğu'daki ayaklanmalar, yeni dünya düzeni ya da işsizlik hakkında yorumlar yapsak. Ve biraz da erkekler dem vursalar bebeklerden, çocuklardan, kreşlerden, okullardan, yemek tariflerinden. Birbirinden bu kadar yalıtılmış, baştan ayrışmış sohbet konularını döne döne tekrarlamasak artık.

***

Siyasi yelpazenin hem sağında hem solunda, öyle politikacı eşleri tanıyorum ki inanılmaz yetenekliler. Son derece birikimli, duyarlı, sezgileri kuvvetli ve bence kocalarından çok daha makul (ve daha az tepkisel) hareket etme yeteneğine sahip. Her seferinde içim sızlıyor bir parça. "Keşke diyorum, bu kadın siyasette olsaydı, kocasının yerine. Eminim çok şey yapabilirdi."

"Siyasetçi eşi nasıl olmalı?" tartışmaları ve klişeleri sırf bize özgü değil elbette. İngiltere'de Tony Blair döneminde çok şeyler yazıldı hukukçu olan Cherie Blair hakkında. Keza Amerika'da da bu konu sık sık gündeme gelir. "Tipik hanım" konumuna uymayan, bağımsız durabilen ve düşünebilen her siyasetçi eşi her ülkede basının sillesini yer. Ama bizde biraz daha hırçın yaşandı bazı tartışmalar, gereksiz yere takıldık politikacı eşlerinin kıyafetlerine.

Kolay değil bence politikacı eşi olmak. Ya da komutan eşi olmak. Keza üst düzey bürokrat eşi olmak. Mesleğinde yükselen ve kendini günde yirmi saat işine adayan bir erkeğin karısı olmak, evi çekip çevirmek, hiç falso vermemek, basının gözlerini sürekli üzerinde hissetmek ve emeklerinin kamusal alanda takdir edilmediğini görmek sanmam ki kolay olsun.

Sizi bilmem ama ben "eş kontenjanından davetiye alan kadın" olmanın kişilik sahibi her kadın için zor bir tecrübe olacağı inancındayım. Sürekli kendini geri planda tutmak, tüm varlığınla eşinin başarısına odaklanmak, görünür ve görünmez olmak arasında bir ince eşikte durmak, hareketlerine, kıyafetlerine azami dikkat etmek, gene de kimseye yaranamamak hafif olmasa gerek.

Üç türlü örnek var karşımızda. Birinciler, ne yazık ki, bulundukları konumu bir "hak" gibi görüp başka kadınları ezmek için kullananlar. Kocası "birinci filanca" ise, kocası "üçüncü filanca" olan kadının karşısında kendini üstün sayanlar. Etraflarındaki herkese emir eri gibi davranan, kocalarından daha kralcı, daha hiyerarşi düşkünü. Böyle kadınlar da var.

İkinciler ise tamamen farklılar. Kendilerine ait dünya görüşleri, tercihleri ve gayeleri olan, üstelik bunları gerçekleştirmekten geri durmayan kadınlar. Çetin ceviz. Dirayetli. Bir birey olarak kendi başına var olmak isteyen. Öylesine uzaklar ki klişeleşmiş "munis ev hanımı" modelinden.

Bir üçüncü siyasetçi eşi modeli daha mevcut. Bulunduğu konumdan çok da hoşnut olmayan, kendilerine verilen rolün altında biraz ezilen, yapabilseler hemen şu an çekip gidecek olan, unvan ya da mevki veya prestij değil, aslında sadece ve sadece "saadet ve huzur" arayan kadınlar. Bir anlamda kendilerini yanlış zamanda, yanlış yerde bulan kadınlar...

Birbirinden çok farklı "eşler" var. Bizde ve dünyada. Ama her biri isimlerinin davetiyelere açıkça yazılmasını ve ayrı bir birey olarak görülmeyi hak ediyor şüphesiz.

Kadın: İmkânsız Bilmece

Doğrusunu isterseniz zaman zaman oturup biz kadınları tiye alan yazılar yazmak istiyorum. İnceden inceye dalga geçmek geliyor içimden. Hatta tefe koyup çalmak şöyle rahat rahat.

O kadar çok beğenmediğim huy var ki hatun taifesinde. Hemcinslerimde ve tabii kendimde. Kıskançlıklarımız, dedikodularımız, dobra değil dolaylı konuşmalarımız; durmadan her şeyi ve herkesi kıyaslama huyumuz; sakin kafayla düşünerek ve sindirerek karar vermek yerine aceleyle yapılmış çıkarsamalarımız; duygusallıklarımız, tepkiselliklerimiz; bir meseleyi anında söylemeyip içimize atmalarımız; sonra o içimizde birikmiş, yıllanmış, sirkeleşmiş duyguları bir bir çıkarıp karşı-argüman ve kelime cephanesi olarak kullanmalarımız; kendimizi ve birbirimizi çok ama çok hırpalamalarımız. Acımasızlıklarımız. Pireyi deve yapmalarımız. Pire için yorgan yakmalarımız. Ah şu satışlarımız. Birbirimize ha bire çelme ve isim takmalarımız. Arkadan konuşmalarımız. Görünmez bir haremde yaşar gibi birbirimizle rekabet halinde olmamız. Niyeyse?

Tek tek ayıklıyorum zihnimde bu halleri, cımbızla çekiyor, mikroskopla inceliyorum. Tam oturup yazacağım bunlar üzerine, eleştireceğim kadınları yerden yere; pat diye bir haber okuyorum, yahut bir yazı. Bazı köşe yazarlarının kadınlardan bahsederken kullandığı vahim üsluba bakıyorum mesela. Medyaya sirayet eden erkek egemen söyleme. Küçümsemelere. Bıyık altından gülmelere. Öylesine kanıksanmış, benimsenmiş ve içselleştirilmiş. Yahut bir profesörün beyanlarına dikkat ediyorum. Ne yazık ki en okumuş yazmış gibi görünenlerin bile bu kadar ataerkil olmalarına.

Kadınlarını inciten, yaralayan, öteleyen, ötekileştiren bir

ülkede, tekrar ve tekrar, aynı önyargılar, aynı kalıplar, aynı laflar. Derken gene bir töre cinayeti, kadına karşı şiddet, koca dayağı, yetmeyen sığınma evleri, siyasetin hep erkeklerce şekillendirilmesi, göz göre göre haksızlık, eşitsizlik, adaletsizlik. İşte o zaman kadınları eleştirmek filan içimden gelmiyor. Oturup gene erkek egemen kafalar ve yapılar üzerine yazmak durumunda hissediyorum.

Belki de böyle yapa yapa mizah ve ironi kabiliyetimizi baltalıyoruz elde olmadan. Her şeyin bu kadar ciddi ve yoğun ve tartışmalı olduğu bir toplumsal ortamda kendimize gülemez oluyoruz. O kadar hızlı geçiyor ki zaman, içe dönüp bakmaya vakit bulamıyoruz. Bir ağırlık çöküyor üzerimize. Bir ciddiyet. Bir köşelilik. Tozpembe konularda yazamıyor, bir gün de mesela matraklık olsun diye kalem tutamıyoruz. Gündem her zaman o kadar ağır ve ciddi ki şöyle bir hafifleyemiyoruz.

Ama şimdi adeta Türkiye bir Norveç ya da Danimarka imişçesine rahat yazabilmek istiyorum. Tam ve pür bir eşitlik sağlanmış gibi, kadına hak ettiği fırsatlar verilmiş gibi, yani oturup kadınları da doya doya eleştirebileceğimiz düzeye gelmişiz gibi hissedebilmek istiyorum. Bir anlığına da olsa. Bir yazı boyu. Bir düş boyu.

***

Amerikalı bir kadın yazarla çocuklar üzerine sohbet ediyoruz. Bana dert yanıyor. İki çocuğu var: Bir oğlan, bir kız. İkisi de buluğ çağında. Oğlunun ne kadar duygusal ama bir o kadar saf ve şeffaf ve "basit" olduğunu anlatıyor. Kızı ise belli ki daha karmaşık bir kişilik. Meselelere çok daha dolaylı bakıyor. "Aramızda muazzam bir aşk ve nefret ilişkisi var" diyor gülerek. "Ha bire anne-kız çekişip duruyoruz. Duygusal taktikler geliştiriyor beni alt etmek için." Ve sonra eğilip ekliyor usulca: "Hani biri bana bunu söylese çok kızarım ama bazen kadınları çekilmez buluyorum."

Okumuş etmiş birçok kadın aslında bu duyguya aşinadır. Kadınlar bazen kadınları çekilmez bulur. Keza tesadüf değildir kadın-erkek karışık ortamlarda kimilerimizin hemencecik "erkek tarafı"na meyletmemiz. Oturup ailevi meseleler yahut moda, alışveriş veya çocukların eğitimi gibi mevzular konuşmak yerine gidip sohbetin o kanadında yer almak isteriz. Memleketten, kültürden, edebiyattan, sanattan, "daha derin görünen" konulardan bahsedebilmek için değil sadece. Sohbet malzemelerinden ziyade enerji farklıdır erkekler tarafında. Kadınlar birbirlerini çok inceler. Sürekli. Erkekler de bakar ama başka türlü. Bir erkek durup da çorabın kaçmış mı, kilo almış mısın, suratında sivilce mi çıkmış, fondötenle mi kapatmışsın diye bakmaz. Erkek gözü bu anlamsız ayrıntılara takılmaz. Kadın kadını böyle inceler ama. Hemen fark eder. Not eder. Her türlü yamayı, eksiği, gediği. Dolayısıyla fiziksel özelliklerin, nasıl giyindiğin, nasıl göründüğün çoook önemlidir hatun meclislerinde. Gereğinden fazla önemlidir.

Gelin "iğneyi başkasına çuvaldızı kendimize batıralım" arada sırada. Birbirimizi eleştirebilmeliyiz. Hallerimizi, zaaflarımızı görebilmeliyiz. Lakin unutmadan, biz kadınlar olmasak bu dünya çekilmez bir yer olur.

Erkekliğin İnşası

On dört yaşındaydım. İspanya'dan yeni gelmişim. Ankara sokaklarında, yeni bir okula, yeni hayata alışmaya çalışıyorum. Bedenimle kavgalıyım. Benden habersiz büyüyor. Kızıyorum içten içe kendime. Biraz daha yavaş büyüyebilsem keşke, ya da tam tersine, şöyle ışık hızıyla kat etsem mesafeleri, seneleri. Bir anda kırk yaşıma varabilsem mesela! Ne ferah olur, oh ne rahatlık. Şu haliyle ne yeterince yavaş, ne yeterince süratli geçiyor zaman. Buluğ çağında olmayı sevmiyorum. Kucağımda kitaplarla yürüyorum, göğüslerimi saklaya saklaya. Bir tek ben değil, birçok genç kız böyle yürüyor o günlerde ve halen bugün, Ankara sokaklarında. Çantalarımız, kitaplarımız, dosyalarımız, her an kalkan gibi kullanmaya hazırız, hep yarı tedirgin. Neden? Çünkü sokaklar erkek.

Otobüse biniyorum. Arka sıralara doğru yürüyorum. İzliyorum insanları. Aileler, memurlar, öğrenciler... Yorgun yüzler. Sene 1985. Ne kadar çok hayat var anlatılmayı bekleyen, ne çok hikâye. Bunları düşünüyorum. Derken ön sıralarda genç bir kadın bir erkeği azarlıyor. Adam pişkince cevaplar veriyor. "Cık-cık-cık, olmaz ki" diye başını sallayanlar, belli ki adamı ayıplayanlar oluyor ama kimse meseleye bulaşmak istemiyor. Canım sıkılıyor. Ben utanıyorum, adamın adına. Kadınların otobüslerde böyle tedirgin edilmesine inanamıyorum. Madrid'de yaşamışım. Madrid sokaklarında İspanyol kadınların özgürce yürüdüklerini görmeye alışmışım. Kızılay otobüsünde bir kadının çantasından dikiş iğnesi çıkardığını görünce nedenini anlamıyorum. Sonradan öğreniyorum. Olur da sıkıştıran çıkarsa batırmak içinmiş. Kadınlar birbirlerine tavsiye ediyorlar: "Çantanda iğne bulundur!"

Bunları pek konuşmuyoruz. Bunları yazmıyoruz. Ama bunlar yaşanıyor. Ne yazık, dün olduğu gibi bugün de. Hâlâ öyle, on dört yaşında genç kızlarımız kitaplarıyla göğüslerini saklayarak yürür, aynı yaşta delikanlılarımız bağıra çağıra, şakalaşarak, erkek olmanın rahatlığıyla biner toplu taşıma araçlarına. Dolmuşa binersin. Ön sıradasın. Solundaki erkek, alışkanlık üzre bacaklarını açarak oturur, adeta iki kişilik yer kaplar. Sağındaki kadın, dizlerini bitiştirir, hanım hanımcık oturur. Sen orta yerde, aradaki farka takılır kalırsın. Sonuçta ne ki? İnsan, sadece insan değil mi özümüz? Madem bu konular meclis gündemine de getirildi, biraz daha yakından bakalım meseleye. Hiçbir erkek milletvekili bunu anlayamaz. Sokakta tek başına yürürken, karşıdan gelen bir grup erkek tarafından sıkıştırılmak, laf atılmak, taciz edilmek, bütün bunlar insanı nasıl incitir, nasıl yaralar, sadece kadınlar bilir, ama onlar da konuşmaz. Halbuki konuşmadan da bu meseleler aşılmaz. Türkiye'de sokaklar erkek. Kaldırımlar erkek.

Sekiz yaşındayım. Unutmadım. Annemle Ulus'ta yürüyoruz. O dul bir kadın. Boşanmış, bir daha evlenmemiş. Beni tek başına yetiştiriyor. Maddi zorluklarımız var o senelerde. Ve oldukça ataerkil bir ortam. Annem ayaklarının üstünde duruyor, mücadele ediyor. Öğretmenlik yapıyor o dönemde. Akşam vakti okuldan çıkmış, beraber yürüyoruz. Karşıdan bir adam geliyor. Üstümüze üstümüze. Annemin adama bağırdığını hatırlıyorum, çantasıyla vurduğunu. Üzüldüğünü, yol ortasına çöküp ağladığını. Kimsenin yardım etmediğini. Derken bir kadının yanımıza gelip bize mendil uzattığını hatırlıyorum. İç çektiğini. "Aman be kardeş..." dediğini.

Aman be kardeş...

***

Simone de Beauvoir o meşhur tespitini yapalı çok zaman oldu. "Kadın doğmuyoruz, kadın oluyoruz" demişti. Yani öğreniyoruz rollerimizi. Yaşadıkça, büyüdükçe, toplumsallaştıkça. Ama şu da var ki "erkek" de doğmuyoruz aslında. Erkek oluyoruz. Erkeklik de öğreniliyor. Tuğla üstüne tuğla koyarcasına inşa ediliyor zamanla. Ve ataerkil bir toplumda erkek olmak hiç kolay degil. Erkek de mevcut rollerden azıcık sapmayagörsün, birazcık farklı giyinsin ya da farklı olsun mesela, zorlanıyor bu haliyle kendine yer bulmakta.

Ne yazık ki, sokakta kadınlara laf atan ama kendi kız kardeşlerine yan gözle bakılınca kanına dokunan bir erkeklik modeli var. Ve gene ne yazık ki, biz kadınlar yetiştiriyoruz onları. Doğdukları andan itibaren "Koçum, sultanım, aslanım..." diye diye. Onları ayrıcalıklı olduklarına gene biz anneler inandırıyoruz. Sonra o zanla onlar gidip başka kadınların kalplerini kırdıklarında kendimize hiç pay çıkarmıyoruz.

Ben bu yazıyı oğlan annelerine yazıyorum, özellikle onlara. Ne olur biraz daha dikkat. Evlatlarımıza şunu öğretemiyorsak bir yerde hata yapıyoruz. "Gördüğün ve tanıştığın her kadına eşit davran, insanca, ezmeden, tıpkı kendi kız kardeşine davranılmasını istediğin gibi ya da kendi annene." Yok şayet, kız çocuklarımızı erkek çocuklarımızdan farklı yetiştiriyorsak, onlara bir nebze bile olsa üstün ve ayrıcalıklı davranıyorsak, bir toplumsal adaletsizlik ve eşitsizliğin devamına katkıda bulunuyoruz demektir. Ama bilerek ama bilmeyerek.

Töre

Yer İstanbul. Büyük, hareketli, eşi benzeri olmayan şehir. Hiç dinmeyen bir akış, kanıksadığımız bir karmaşa. Semtlerden Fatih. Televizyonlarda, radyolarda, gazetelerde kısacık bir haber. Gencecik iki insan öldürüldü. Farklı dinlerden geldikleri halde birbirlerini sevmeye cüret ettikleri için. Âşık olup, evlenip bir yuva kurmaya kalktıkları için. Birlikte bir dünya yaratabileceklerine inandıkları, beraber bir hayal kurdukları için. Aşk, çok görüldü onlara. Mutluluk, çok görüldü. Batmanlı kuyumcu Müslüman Zekeriya ile Ermeni eşi eczacı kalfası Soney yakışmışlardı birbirlerine. Nice zorluğu göze alarak sevenlerdendi onlar. Rüzgâra karşı. Akıntıya karşı. Aileler karşı çıkmıştı bu evliliğe. İtiraz etmiş, vazgeçirmeye çalışmıştı. Nafile. Gençler daha da kenetlenmiş, gizlice evlenmişlerdi. Sonrası... Pusu. Barışıp helalleşmeye geldiklerini sanırken aslında pusuya düşürüldüler.

Bu ne ilk, ne son. Türkiye'de hemen her ay birkaç töre cinayeti haberi basına yansıyor. İsimler, resimler, hikâyeler farklı ama hepsinde ortak bir özellik var: Gençlerin en yakınlarındaki insanlardan gördükleri tahammülsüzlük. Adına "töre" deyip orada bırakıyoruz. Konuşuyor ama analiz etmiyoruz. Üzülüyor ama çözüme yönelik adımlar atmıyoruz. Sonra kapanıyor bir dosya daha, unutuluyor. Ta ki yeni bir hadiseye kadar.

Oysa bildiklerimiz meselenin sadece konuşulan, duyulan boyutu. Ya bilinmeyenler? Türkiye'nin doğusundan batısına bugün "töre cinayeti" adı altında nice sarsıcı vaka yaşanmakta. Meselenin temellerini geniş çapta analiz etmemiz için illa da cinayet boyutuna taşınması mı gerek? Zekeriya ile Soney'in trajik hikâyeleri bir yanıyla son derece sıra dışı. Ama bir yanıyla da tekrar tekrar yaşanan bir zincirin halkası. Gene de biz, hepimiz, her hadiseyi münferit bir olay gibi görüp birkaç gün konuştuktan sonra bir kenara bırakıyoruz.

Şu temel soruyu kendi kendimize sormuyoruz: "Tüm bunlar neden oluyor? Gelecek kuşakların benzer acılar yaşamamaları için ne yapmalı? Şu anda, şimdi. Gazeteciler, doktorlar, siyasetçiler, yazarlar, sanatçılar, biz ne yapabiliriz?" Zira şu haliyle töre cinayetlerine gösterdiğimiz ilgi eften püften, taşıdığımız duyarlılık bir sabun köpüğü. Öylesine geçici, zayıf, yapmacık. Şimdi var, yarın yok. Uzaktan "cık cık"larla, "vah vah yazık"larla, geç kalınmış "eyvah"larla daha uzun süre çözemeyiz biz bu sorunu.

Peki daha kaç gencimiz, kendi ailesinin şiddetine hedef olacak? En yakınlarının? Daha kaç cinayet işlenince bizler bu konuda kolektif bir bilinç, ortak bir duyarlılık gösterebileceğiz?

"Töre" kelimesinde gereksiz bir ağırlık var. Hantal, kallavi, durağan. Sanki bir heyula damga. Kilitli bir kapı. Açılmıyor. Çıkmaz sokak. Ötesine geçilmiyor. "Töre" dendi mi susuyor, fazlasını kurcalamıyoruz. Halbuki töreler insanlar için var. İnsanların mutluluğu, muhabbeti, iyiliği, düzeni, selameti için. Bunlara uymayan töreleri sorgulama ve silkeleme zamanı gelmedi mi?

Camilerde verilen hutbelerde, meclis kürsüsünde, üniversite kampuslarında, gazete sayfalarında, televizyon ekranlarında, kolektif ve içten bir çabayla bu zihniyeti aşmalı. Artık çoktan zamanı. Her köhne kalıp gibi insana kıyan töreler de değişebilir, değişir.

Zoraki Evlilik

Hiç dikkat ettiniz mi, "Evli çiftler arasında tecavüz diye bir şey olmaz. Koca ne zaman arzu etse, karısı onunla beraber olmaya mecburdur" diye düşünenlerin hepsi nedense erkek. Vicdanının sesini dinleyen ve dünyadan haberdar olan hiçbir kadın böyle bir iddiada bulunamaz. Çünkü öyle evlilikler vardır ki, cehennemden beterdir. Azaptır. Her senesi, her günü, her dakikası... Bunu yaşayanlar bilir. Ama onlar eziksizliklerinden çıkıp konuşamazlar, dertlerini anlatamazlar. Hem utanırlar. Küskün ve kırık... Sadece etraflarındaki birkaç kişiye dert yanabilirler, o kadar. Bu kadınların sesi yok. Ama bu demek değil ki kendileri de yok. Demek değil ki, hikâyeleri de yok.

O kadar çok kadından mektup ya da e-mail alıyorum ki. Sadece Türkiye'nin farklı yörelerinde değil, yurtdışında yaşayanlardan da. Gençler de var aralarında, çoktan anne, hatta anneanne olanlar da. Hapishaneden yazanlar da var, gurbetten yazanlar da. Zorla evlendirilenlere de rastlıyorum, gençlikte bir başına sevdiğine kaçıp sonradan pişman olanlara da. "Bir arkadaşımın başından geçen kötü bir evliliği anlatmak istiyorum" diye yazıp aslında kendi hayatlarını anlatanlar var; "Benim hayatımdan roman olur yazarlara" diyenler de.

İncinmiş yürekler, anlatılmamışlıklar, anlaşılmamışlıklar... Çoğu bir başınalıktan şikâyet ediyor. Ailelerinden yeterince destek görememekten. Bir kez "koca evi"ne gidince "baba ocağı"nın kapısının kapanmasından dert yanıyorlar. Aralarında, koca dayağından bunalıp ailesinin yanına dönen ama bizzat kendi babaları tarafından gene kocalarına teslim edilenler var. Bir başlarına çocuk büyütmenin zorluklarından bahsediyorlar. Ve evlilik içi şiddetten.

Almanya'da yaşayan tüm göçmenleri, dolayısıyla Türkleri de yakından ilgilendiren bir yasa çıkarıldı. Evlatlarını zorla evlendiren anne babalar hakkında dava açılabilecek ve beş yıla kadar hapis cezası verilebilecek. Bireyler kendi başlarına şikâyetçi olabilecekleri gibi, aileler gözlemciler tarafından denetlenecek.

Elbette burada tek amaç, gençlerin herhangi bir baskı altında kalmaksızın, özgür iradeleriyle hayatlarını çizebilmelerine yardımcı olmaktan ibaret değil. "Toplumun bütününe uyum" göstermeyen göçmen aileler üzerinde yeni bir denetim mekanizması kuruluyor. Göçmenlerin dil kurslarına gidip gitmedikleri, bulundukları ülkenin temel değerlerini yeterince kanıksayıp kanıksamadıkları ölçülüyor. Artık bir anlamda devlet, ailelerin içişlerine müdahale etmeye başlıyor.

Almanya'da sessiz sedasız ama kararlı bir şekilde yeni bir dönem başlıyor. Çokkültürlülük esasına dayalı ve farklı toplulukları mozaik gibi gören "multikulti felsefesi" ayan beyan sona erdi. Bundan sonra tek kriter var: Asimilasyon. Ne yazık ki göç ve göçmen karşıtı aşırı sağ bir söylem, bu zeminde kendine yer açabiliyor. Almanya'daki gelişmeler önemli, düşündürücü. Ve bu model tutarsa, hızla diğer Avrupa ülkelerine de yayılacaktır.

Öte yandan, iğneyi başkasına çuvaldızı kendimize batırmamız lazım. Ortada bir hakikat var. Gerek Almanya'da ve Avrupa'nın çeşitli noktalarında, gerekse Türkiye'nin farklı yerlerinde nicedir zoraki evlilikler kuruluyor ve bundan en çok kadınlar ve çocuklar zarar görüyor.

Türkiye'nin özgürlük, adalet ve eşitlik ilkelerini özümsemiş bir ülke olması herkesin ortak temennisi. Ama unutmayalım ki bazı yasaklar/baskılar hiçbir yerde yazılı olmadıkları halde hissedilirler olanca ağırlıklarıyla. Cinsiyet ve cinsellikle ilgili kalıplarda olduğu gibi.

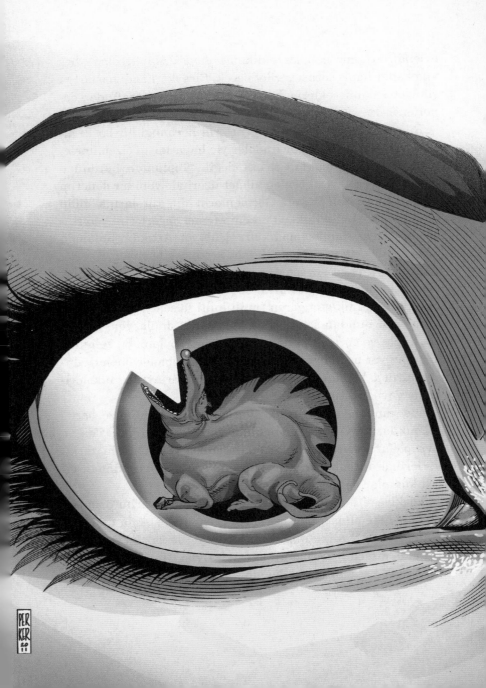

Ortak Vicdanımız!

Gazetelerde bir haber. Okuyor, okuduğuma inanmak istemiyorum. Zihnimin bir köşesinde bir umut pırıltısı. Gece karanlığında gezgin bir ateşböceği gibi yanıp sönüyor. Olur da yanlış anlamışımdır hani. Gözlerim beni yanıltmıştır diye yeniden bakıyorum. Yahut bir hata olmuştur bir yerlerde, noksan veya çarpık bir aktarım. Belki. Bir nebze umut. Bir ihtimal. Haberin doğrusu böyle değildir diye umuyorum.

Olmasın zira... Olmamalı... Tecavüze uğrayan kadınları tecavüzcüleriyle evlendirmeyi konuşuyor olabilir miyiz hakikaten? Bugün, bu yüzyılda? Ciddi ciddi bu öneriyi tartışıyor olabilir miyiz? Beynim inanıyor ya, zavallı yüreğim inanmak istemiyor haberin doğruluğuna.

Yoksa... Şayet haber doğruysa... Öyle bir kanar ki vicdanlar, öylesine derinden yaralanır ki hem adalet ilkesi, hem adaletin tecelli edeceğine olan ortak itimat. Ama işte önümde gazeteler. Hemen hepsinde yer alan habere göre, bu teklifi geliştiren kişiler adaletin en yüce makamında oturan insanlar. Hâkimler ve savcılar. Yan yana koyamıyorum. İki kere iki dört eder diyemiyorum. Hâkim ve savcılardan, yani sadece mesleği değil, koskoca bir yaşam felsefesi ve temel şiarı hakkaniyet olan insanlardan böyle bir öneri geldiğine bir kadın, bir anne, bir yurttaş, bir yazar, hasılı kelam bir insan olarak inanamıyorum.

Yargının hızlanması, adalet mekanizmasındaki yapısal sorunların giderilmesi, istisnasız her bireyin en hızlı ve eşit şekilde muamele görmesi, yepyeni ve reformdan geçirilmiş bir sistemin oturması hepimizin ortak dileği olsa gerek. Bu yönde yapılacak her türlü girişim, atılacak her adım elbette ki anlamlı, etkili. Lakin yargıdaki yavaşlık ve aksaklıkların giderilmesi için düzenlenen bu kadar önemli bir toplantıda, tecavüze uğrayan kadının tecavüzcüsüyle evlendirilmesi gibi bir öneri getirildiğini öğrenmek insanın bu memleketin geleceğine beslediği iyimser inancı ve duygusal sadakati zedeliyor. Anlaşılan söz konusu öneri Adalet Bakanlığı'na iletilecek. Şayet bakanlık bu taslağı ciddiye alır da geliştirirse, bu ülkedeki tüm kadınları yaralayacak bir adım atmış olacak. Bizler daha henüz kadına yönelik şiddetin boyutlarını kavramaya çabalarken, doğudan batıya tek tek her kadının hayatında ses getirecek ilerici çözümler ararken, meseleyi bırakın hafifletmeyi, çok daha beter hale getirecek bir uygulama başlatılmış olacak. Şimdiden bunları kaleme almayı karamsarca bulabilirsiniz. Ama böyle bir taslağın gündeme getirilmesi bile alarma geçmeye yeter de artar.

Üstelik sözü edilen teklif, yürürlükten kaldırılan bir yasayı geri getirme çabasına denk düşüyor. Düşünün bir. Elinizi vicdanınıza koyarak. Gencecik bir kadın düşünün, ömrünün baharında. Diyelim ki Anadolu'da bir kasabada yaşıyor. Ya da büyük şehirlerden birinde bir kenar mahallede. Ailesi zar zor okutuyor onu, dişinden tırnağından artırarak.

Derken bir gün bu kızcağız hiç istemediği, hiçbir zaman da istemeyeceği bir adam tarafından kaçırılıyor, alıkonuluyor, tecavüze uğruyor ve paçavra gibi evine geri getiriliyor, nasıl olsa başkasına "yâr" olmayacağının güvencesiyle. Sonra da ona bu zulmü reva gören insanla evlendiriliyor. Bir ömür boyu tecavüze uğramaya devam etsin diye. Maksat yüzeyden bakınca "namus" kurtulsun. Maksat konu komşu dedikodu etmesin. Maksat makyaj bozulmasın. Alttaki yürek kanasa bile...

Biz neden ve nasıl ve sahi niye soyut mu soyut bir namus kavramı uğruna kadınlarımızı bozuk akçe gibi harcıyoruz? Ne zamandan beri bireylerin mutluluğunu, iyiliğini, güzelliğini, refahını ve selametini düşünmek ve kollamak yerine,

"Aman el âlem dedikodu yapmasın" noktasında çözüm arıyoruz. Buna nasıl adalet deriz? Dersek şayet, dilimize ve zihnimize hadi belki ama vicdanlarımıza bu durumu nasıl anlatır, içimize nasıl sindiririz?

İskender'i yazarken şiddete uğrayan kadınlarla, ailelerle tanıştım; yüreğimin her telini sızlatan insan hikâyeleri dinledim, okudum, araştırdım. Bir kadının tecavüzcüsüyle evlendirilmesi acılara acı, haksızlığa haksızlık, yaraya yara katmak demektir.

"İnsana en yakışan hal hüzündür" diye düşünürdüm uzun seneler boyu. Hâlâ severim hüznün envai çeşit hallerini, o hazan demlerini, yalnız ve sakince düşünmeyi, bol bol tefekkür etmeyi. Ama artık inanıyorum ki insana en çok yakışan, vicdandır. Siyasi görüşümüz ne olursa olsun, hangi etnik kökenden, sosyal tabakadan, ailevi geçmişten, dini yahut kültürel eğilimden, kılık kıyafetten, köy, kasaba ya da şehirden gelmiş olursak olalım, hangi sofradan kalkıp nasıl bir çatı altında uyursak uyuyalım, kulübe ya da malikâne hiç fark etmez, vicdandır bize en çok lazım olan, en vazgeçilmez, en elzem, yeter ki vicdan...

Komşuma Karışma Hakkı

İstanbul Bağcılar'da bir apartman düşünün. İki farklı ailenin hikâyesini anlatacağım size; biri hayali, diğeri ne yazık ki gerçek. Önce hayalle başlayalım. Çünkü hayaller ve hikâyeler âlemi hep daha güzel, hep daha yaşanılasıdır hakikatler dünyasından. Genç sayılacak bir çiftin hikâyesi bu. Karıkoca uzun zamandır evliler. Muhafazakâr aile yapılarından gelmekteler. İnançlı, Anadolu insanları. Birbirlerini severek, isteyerek evlendiler. Ailelerinden mırın kırın edenler olduysa da fazla bir engelle karşılaşmadan evlendiler, yuvalarını kurdular. "Aşk" idi ilişkilerinin temeli ve hep öyle kaldı. Bir gün olsun birbirlerine ne seslerini yükselttiler ne bir fiske vuruldu bu çatının altında.

Gel gör ki, tüm sevgilerine ve muhabbetlerine rağmen, bir koyu gölge var evlerinin üzerinde. Bir yağmur bulutu, ha kapandı ha kapanacak. Zira tüm çabalarına rağmen çocukları olmadı, olmuyor. Gitmedikleri doktor kalmadı ya da yapmadıkları test. Kapısını arşınlamadıkları hoca kalmadı ya da etmedikleri dua. Kaç adak adadılar, kaç kez niyet ettiler, kaç bez bağladılar ağaçlara? Kadıncağız bazen komşu kadınların bebeklerini seyrederken buluyor kendini. İçinde bir sızı. "Rabbim" diyor, "neden bana da nasip etmiyorsun analığı?"

Aynı apartmanda bir başka daireye bakalım şimdi. Hayallerden çıkıp hakikatlere geçelim. Yeni bebekleri oldu bu öteki ailenin. Beş aylık. Güzeller güzeli bir evlat. İsmi Sudenaz. Gözleri çakır, gülüşü pembe, tüm bebekler gibi meleklerle dost. Bir gece nedense uyku tutmuyor bebeciği. Belki gaz sancısı var, belki bir şey dokundu, belki de sadece huzursuzluk işte, sevgi ihtiyacı. Ağlamaya başlıyor. Babası, yani özbeöz babası, kaldırıp biberonu atıyor kafasına. Bu şekilde susturacağına inanıyor adeta. Sudenazcık inciniyor, daha beter ağlamaya başlıyor, öylesine çaresiz.

Şimdi hayal ile hakikati karıştıralım usulca. Diğer dairede yaşayan ve çocuğu olmayan komşu kadın uykusundan sıçrayarak uyanıyor. Kulağını dayıyor duvara. Hüzünle, isyanla dinliyor ağlayan bebeği. "Rabbim" diyor, "keşke ben baksaydım şu bebeciğe." Sonra dayanamıyor. Kocasından, gidip komşularının kapısını çalmasını rica ediyor. "Bulaşma, karışma" diyor eşi. "Bizi ilgilendirmez. Onların aile meselesi." Ama bebek hep ağlıyor. Feryat figan. Derken derin bir sessizlik iniyor apartmanın üzerine, zifiri bir örtü gibi kaplıyor her yanı. "Bak gördün mü sustu işte, hadi yat artık" diyor komşu kadının kocası. Ama kadıncağızın içi rahat değil, yüreğinde bir dikenle oturuyor. Sabah olunca ilk iş bir bahaneyle komşusuna gidiyor. Kapıyı çalıyor. Açılmıyor. Bir haber geliyor öğleüzeri. Meğer gece yarısı Sudenaz vefat etmiş. Peki nasıl olur? Öz babası tarafından bacaklarından ısırılarak öldürülmüş bebecik. Bu vahşete sebep? Çok ağlıyordu, ondan!

Bizlere, hepimize, komşu dairelerden gelen dayak yahut bağırış çağırış, kısacası sözlü ve fiziksel şiddet seslerini duyma-ma-mız öğretildi. "İyi komşuluk" biraz da "sağır ve kör olmak" demekti. Benim kuşağım böyle büyüdü. "Aman evladım karışmayalım, onların aile meselesi..." Böyle diye diye karılarını döven kocaları, evlatlarını kayışla tavana asan babaları duymazdan gelmedik mi? Senelerce. Artık yeter! Hepimize düşen bir sorumluluk var. Kapalı kapıların ardında yaşanan acıları "aile meselesi" diye anlamazdan gelemeyiz. Müdahale etmek durumundayız. Polise haber vererek, zillerini çalarak, ışıkları yakarak, herkesi ayağa kaldırarak, mazlumun yalnız olmadığını göstererek!

"Dayak cennetten çıkmıştır" lafı kadar korkunç bir aldatma var mı? Dayak cehennemden çıkmıştır, dostlar. Her türlüsü. Çocuğa, kadına, küçüğe, zayıfa, öğrenciye...

Aile içi şiddet konusunda çok daha katı yasal düzenlemeler istiyoruz. Hükümetin büyük bir adım atmasını bekliyoruz. Polisin bu konuda daha duyarlı olmasını talep ediyoruz. Ve en önemlisi, komşuların duruma kayıtsız kalmamasını umut ediyoruz. Velhasıl, artık komşularımıza karışma hakkını talep ediyoruz. Çünkü biz karışmazsak, çünkü siz karışmazsanız, kimse korumuyor gecenin karanlığında bir başına ağlayan Sudenaz'ları.

Bir Yazar, Bir İntihar

Sizlere bir yazardan bahsetmek istiyorum. Türkiye'de henüz çok iyi bilinmeyen, belki de bir yanı her daim muamma olarak kalacak ve ancak çok az insan tarafından anlaşılacak Amerikalı bir romancı: David Foster Wallace.

New York, 1962 doğumlu. Farklı bir çocuk. Zeki, duyarlı, gözlemci. Okulda, kişisel özellikleri ve çeşitli maharetleriyle hemen dikkat çekiyor. Nadir görülen bir senteze sahip. Hem sporda inanılmaz başarılı hem zihinsel aktivitelerde. Genelde ya biri olur ya öteki. Spora kendini kaptıran çocuklar okumaya o kadar heves etmez. Kitaplara düşkün olanlar ise spora pek meyletmez. Halbuki o, her ikisinde de son derece parlak. Ama belki de onu yaşıtlarından ayrıştıran esas şey başarısı ve kabiliyetleri değil. Başarısına ve kabiliyetlerine rağmen son derece mütevazı, durgun, neredeyse utangaç bir çocuk olmaya devam etmesi. Yaptıklarıyla böbürlenmek, caka satmak yerine daha da fazla içine kapanıyor, adeta utanıyor başkalarına fark attıkça. Böyle bir kişiliği var. Hassas, düşünceli, sezgileri kuvvetli. Kimseyi ezmiyor. Kendi canı hariç.

Üniversiteyi Amherst Koleji'nde, Boston yakınlarında okuyor. Benim de bir buçuk seneye yakın yaşadığım ve *Araf* romanını yazdığım bir kampusta şekilleniyor David Foster'ın ilk yazıları. Bu bölge bana hep sonbaharı çağrıştırır. Sarı, turuncu, kırmızı, kahverengi tonlarda. Ve David Foster Wallace her ne kadar şubat doğumlu olsa da, tıpkı Hemingway gibi sonbahar insanıdır.

Hem edebiyatta hem matematikte üstün başarı göstererek mezun olur. Daha sonra Arizona Üniversitesi'ne gider ve orada yaratıcı yazarlık alanında tezini tamamlar. Arizona'da yaşadım. Hocalık yaptım. Muazzam bir yerdir. Amerika'nın başka hiçbir yerine benzemez. Tüketim toplumunun temposun-

dan uzaktır. İnsanı durup düşünmeye teşvik eder. Felsefeye, mistisizme, okumaya, derinleşmeye. Ne var ki Arizona gibi yerler depresyona eğilimli ruhlara iyi gelmez. Çöl, yataylık ve sonsuzluk, bunalımları tetikler. Yalnızlık duygusunu artırır. İnsan kendini kâinatın uçsuz bucaksızlığı karşısında ufacık hisseder. Kimisi mistisizme ya da ruhaniyete kayar böyle durumlarda. (Bence tek tanrılı dinlerin çöllerden çıkması tesadüf değildir.) Kimisi de daha fazla karamsarlaşır, kapanır. Çölde, üzerinde kara bir yağmur bulutuyla dolaşır.

David F. W. Bu noktadan itibaren yoğun bir şekilde antidepresan haplar kullanmaya başlar. Aldığı her ilacın yan etkileri çıkar. Bir noktada elektroşok tedavisi görür. Bir işe yaramaz. Doktorların tavsiyeleriyle bir ilacı bırakıp bir başkasına geçtiği dönemlerde içindeki uçurum derinleşir. Görünmez bir kanyon vardır yüreğinde. Düşmekten korkar. Yazar, yazar, yazar. Aklını koruyabilmek için, dengede kalabilmek için yazar. Edebiyatın ne olduğunu soranlara, "İnsan olmanın ne menem şey olduğunu anlama sanatı" diye cevap verir. Empati önemlidir. Kendin gibi olmayanı dinleyebilmek, okuyabilmek, anlayabilmek. Dostoyevski'nin bir kitabını incelerken sayfaların kenarlarına çılgın gibi notlar alır. Sanat sanat için değildir. Sanat anlamak ve hissetmek içindir. Sadece kendi hikâyeni değil, "öteki"nin hikâyesini de. Özgürleşmektir sanat. Genişlemek, zenginleşmek, derinleşmek, kendini aşabilmektir.

Kitapları sever. Bir de köpekleri. Yaralı, sakat, ihmal edilmiş, aç bırakılmış, kötü muamele görmüş, ne kadar düşkün köpek varsa sokaklarda, toplar. İyileştirir. Besler. Bakar. Deli gözüyle bakar arkadaşları ona. Kim uğraşır sokak köpekleriyle? Onun gibi adamlar uğraşır işte, dinmeyen bir şefkat ve sevgiyle.

2004 senesinde, bir başka sanatçıyla, ressam Karen Green ile evlenir. Çocukları olmaz. Dostlukları, arkadaşlıkları önemser ama içine kapanık yapısını korur. Köpekleri ve kitaplarıyla yaşamaya devam eder. Eleştirmenler yazılarını ve romanlarını hayli kasvetli, ironik, sivri bulur. Amerikan edebiyatının anayoluna uymayan bir tarzı vardır. Ancak okurları ve popülaritesi seneler içinde artar, katlanır. Onun Kafkaesk, kara mizah seven (bana yer yer Oğuz Atay'ı, yer yer Yusuf Atılgan'ı hatırlatan) kalemi günümüz toplumuna eleştirel ve dürüst bir bakış sunar.

Bu arada ders vermeyi sürdürür. Öğrencilerini sever, önemser. Yazarlığa heves eden gençlere canla başla yol gösterir. Ama mutsuzdur. Kendini Amerika'ya dahil hissetmez. Bir türlü genel gidişata ayak uyduramaz. İlaçlar, kitaplar, köpekler, bir gün bir güne benzer, sarmal devam eder; içindeki depresyon ilerler. Babası da depresyondan çekmiştir. Aileden bildiği bir illettir sinir hastalığı. Kendi bünyesinde nüksettiğini gördükçe daha da bedbinleşir. 2008 senesinde, evinde intihar eder. Bir ip. Bir daim kasvet. Bir de yükseklik korkusu, yeter. Kendini asar. Eşi ondan geriye kalan binlerce kâğıt arasında bir roman taslağı bulur. *Pale King*. Solgun Kral. Yayınevi bu romanı bastı. Sırada yazarın notları var. Edebiyatseverler merakla bekliyorlar. Hayatın hep kenarında kalmış, toplumun kıyısında yaşamış bir sanatçının yalnızlık notlarını okumayı...

Yağmurda Mürekkep Damlası

Dışarıda yağmur. Hiç durmadan yağıyor. Ben çekilmişim köşeme, yazıyorum. Kullandığım bilgisayar eski püskü, kenarları kırık dökük. Ekranını bantlarla tutturmuşum. Yara bantları ve saydam bantlarla özenle yapıştırmışım. Bir de enlemesine iple bağlamışım. Ama aralarda bantlar atıveriyor işte, "tıp!" diye peş peşe. Ya da ip çözülüyor. Paket lastiği de denedim, o da dayanıksız çıktı. Ekranın ön yüzeyi ile arka yüzeyinin arası giderek açılıyor. Laptop'ın içindeki rengârenk kablolar açığa çıkıyor. Ne kadar karışıkmış meğer bilgisayarın içi! İnsan bedenindeki kaslar, sinirler, eklemler gibi.

Sokakta yürürken şemsiyemi laptop'ın üstüne koyuyor, kendim açıkta kalıyorum. Gelen geçen tuhaf tuhaf bakıyor. Ne yapayım, bilgisayarımın içine su kaçacak ve yazdıklarım silinecek diye ödüm patlıyor. Ya yağmura karışırsa mürekkep, akıp giderse öylece? Ya kaybolursa onca roman kahramanı? Nasıl geri getiririm onları sonra?

Geceleri rüyamda mürekkep yapmanın sırlarını öğreniyorum. Yaşlı bir hattatın yanına çırak olarak girmişim meğer. Kendimi on bir-on iki yaşında bir oğlan çocuğu olarak görüyorum. Ya da oğlan çocuğu kılığında gezen bir kızcağız. Saçlarım kısacık, yüzümde çiller var; üstümde bir önlük, tepeden tırnağa boya içinde. Masada bir lamba yanıyor. Hattat seven bir adam, pek de babacan. Sabırla anlatıyor: "Evladım, evvela havanda kar suyu dövmelisin. Git kendine pazardan billur bir havan al" diyor. "Ardından şunları eklemen lazım: Kırmızı mürekkep için gülkurusu, mavi mürekkep için çivit, yeşil mürekkep için şamfıstığı, kahverengi mürekkep içinse kakule katacaksın."

Sabah uyandığımda ilk işim kakule nedir araştırmak oluyor. Hiç kullanmamışım ki hayatımda. Yemek yapmayı zaten bilmem. İnternetten ve kitaplardan minik bir araştırma yapıyorum. Batı ve Güney Hindistan'da, Güney Asya'da yetişirmiş meğer kakule. Pek çok faydası varmış insan bedenine ve ruhuna. İyi hoş da peki nereden rüyama girdi şimdi? Öyle kelimeler var ki yahut öyle nesneler, rüyamda öğreniyorum varlıklarını. Yaşlı hattatı düşünüyorum. Neden acaba havanda kar suyu dövmemi istedi? Yoksa öyle bir şey mi roman yazmak? Hani bizler kalıcı eserler bırakmayı hedefliyoruz ama belki de tek yaptığımız suya yazı yazmak.

Eyüp'e telefon açıyor, acilen kendisinden bir rüya tabiri istiyorum. "Çok basit" diyor. "Rüyandaki yaşlı hattat 'aklın sesi'ni simgeliyor. Havan ise kullandığın laptop. Mevcut bilgisayarın kullana kullana parçalandığı için, 'aklın sesi' sana gidip yeni bir tane almanı söylüyor. Sonra onun içine canın ne istiyorsa katabilirsin. Hayaller, hikâyeler, renkler..."

Dinliyorum ama ikna olmadan. Nasıl değiştiririm emektar bilgisayarımı? Kaç senelik makine. İyi günde kötü günde beraber olduk. Havaalanlarında, tren ve metro istasyonlarında, otobüslerde, minibüslerde, taksilerde, yollarda benimleydi, gölgemden bile sadık. Kendi bile hatırlamıyor artık yaşını. Hep ağır, hep hantal, her daim zatürree zavallıcık. Öksürük nöbetleri geçiriyor günde yirmi kere. Klavyesini temizlemeye yollasam, altından neler neler çıkacak kim bilir: Çubuk krakerlerden düşmüş tuz parçaları, peynirli tost kırıntıları, kahve lekeleri, çay damlaları, sigara külleri. Hani İstanbul'un altında nasıl bir yeraltı şehri varsa benim klavyemin altında da öyle tortu tortu birikmiş kazı alanları var.

Zaten artık bazı harfler tekliyor. Mesela "ğ" nicedir basmıyor; kopyala-yapıştır usulü koyuyorum harfi. Ben de içinde mümkün mertebe az "ğ" geçen hikâyeler yazmaya çalışıyorum. Neyse ki "a" harfi değil bozulan. Beli bükük, ağzında dişi kalmamış bilgisayarımın; hafızası da tekliyor ama olsun varsın. Ben onu böyle seviyorum. Neler neler yazdık beraber.

"Olmaz, duygusal bağım var. Değiştiremem" diyorum.

"Bak bu söylediğin var ya" diyor Eyüp, "duyduğum en mantıksız şey. Herkes senin gibi düşünseydi teknoloji ilerleyemezdi. Biz 2011'de birbirimize hâlâ telgraf çekiyor olurduk. E-mail, Facebook, Skype diye bir şey olmazdı."

Anlıyorum. Bu çağda her şeyi çabuk çabuk tüketmemiz lazım; bilgisayarları, cep telefonlarını, arabaları, televizyonları, hikâyeleri... İhtiyacımız olmayan şeylere gerek duymalı, daha eskimeden kaldırıp atmalıyız ki tüketim toplumu deveran etsin. Ama yüreğim direniyor. Değiştirmiyorum pespaye bilgisayarımı. Ta ki o yazamaz hale gelinceye dek! Yaşlı hattatı rüyamda bir daha görürsem ona da anlatacağım bunları.

Yazar ve Ben

Bugün herhangi bir Osmanlıca-Türkçe sözlüğü açsak, "müellif" kelimesinin karşılığına baksak, şu minvalde bir tanım buluruz karşımızda: "Kitap yazan, bir eserin sahibi olan kimse." Lakin, dikkatlice düşünürsek şayet, "yazar" ile "müellif" aynı şey değiller. Ne de belki aynı insan. Temel farklılıklar mevcut arada. Yazar (*writer*) ile müellif (*author*) bambaşka kişilikler; yahut tek insanın içinde derin bir kişilik bölünmesinin adları, yansımaları... Yazar ekseriya kovuğuna çekilir, kabuğunda salyangoz misali, mağarasında münzevi; bir hayal âleminde yaşar, zihninde hikâyeler. Gerçek dünyadan, günlük hayattan ya kopuktur ya fersah fersah uzak. Asosyaldir, kendi kendine konuşur, kimse ona "deli" demez; çünkü etrafında kimse yoktur; fazla sosyalleşmez. İstese bile beceremez. Âşık olmaya kalkar, eline yüzüne bulaştırır. Yapısı, fıtratı izin vermez. Yalnızlıktan beslenir. Saatler, günler, haftalar, aylar, seneler boyu ufacık bir ayrıntı üzerinde uğraşabilir, didinebilir; durmadan, usanmadan. Bu arada dışarıda hercai bir bahar başlar, ağaçlar tomurcuklanır, güller olur katmer katmer, insanlar sevdalanır, sevdalılar ayrılır; saçlara ak düşer, bebekler diş çıkarır; yaş günleri kutlanır, evlilik yıldönümleri; peş peşe partiler, etkinlikler düzenlenir; sofralar donatılır, kadehler tokuşturulur... Bizimki, garibim, bunların hepsini atlar iki cümle daha fazla yazacağım diye. Gençliğini yaşayamadan yaşlanır. Hayatta hep ama hep bir şeyleri kaçırır. Kimse bilmez ama içinde daima bir şeyler ukde kalır.

Bir de müellif vardır. Onun mizacı alabildiğine farklıdır. Yazarın derisi ne kadar inceyse, müellifin derisi de o kadar kalındır. Müellif kitabı sahiplenmeyi sever, kendini saklamaz, imza günlerinde binlerce kitap imzalar, söyleşiler yapar, anlatır, sorular cevaplar. Her müellif birbirine benzemez tabii. Kimi müellif ona buna cevap yetiştirir, kimi kimseye sataşmaz. Kimi müellif panellere katılır, televizyonlara çıkar; kimisi sadece edebiyat konuşur; kimisi politikayla ilgilidir, oralara dalar; kimi müellif etrafında çömezler ya da hayranlar ordusuyla dolaşmayı sever ve tarih boyunca da öyle olmuştur. Hiçbir yazar birbirine benzemediği gibi, hiçbir yazarın içindeki müellifler de birbirlerinin aynı olmamıştır. Kimi müellif, partilerin adamı ya da kadınıdır. Sosyal hayata bağımlıdır. Ah o renkler, o sohbetler, kalabalıkların insanıdır. Michel Foucault der ki: "Her müellif yazardır, ama her yazar müellif değildir." Çok sevdiğim ve biraz da kıskandığım romancı David Mitchell da söyleşilerinde büyük bir samimiyetle içindeki yazar ile müellifin devamlı didiştiğini anlatır. "Ama" diye ekler hemen, "biri ötekine ihtiyaç duyar var olabilmek için, ayakta kalabilmek için." Bugün yere göğe sığdıramadığımız Balzac, kalabalık ortamları hep sevmiş, bol bol sosyalleşmiştir. Salman Rushdie gündüz yazıp gece partilere katılanlardan. Çok sevdiğim Doris Lessing kendi halindedir. Bunda sufizmin de etkisi olduğunu yazılarında hissettirir. Arundhati Roy son derece politiktir.

Farklı farklı yazarlık halleri var. Kimine uyar kimine uymaz. Kimseden bir başkasına benzemesini beklemeye hakkımız yok, mademki bunca farklı insan, bunca yazarlık hali ve yöntemi var.

Yazar ile müellif arasındaki bölünmeyi hemen hemen hiç yaşamayan edebiyatçılar da var. Ben, naçizane, bölünmüşlerdenim. Yazar hanım ile müellif hanım bazen girerler birbirlerine, ayırana kadar uğraşırım. Bendeki yazar cesurdur, delidir, içine kapanıktır, hikâyelere müptela, harflere âşıktır. O yazarken katiyen karışmam, bırakırım nasıl isterse, gönlü ne yana akarsa yazsın. Bendeki müellif insanlarla diyalog kurmayı sever. Lakin bazen yazar, müellifi zorda bırakır. Bazen de yazar, müellifi. "Ben olmasam sen hiçbir şey yapamazsın" der yazar. "Ben o romanları yazayım, eşek gibi çalışayım, sen çık lak lak konuş haklarında, imza at bol bol, halbuki her şeyin dayanağı benim." "Olabilir" der müellif, bozuntuya vermeden. "Lakin ben olmasam sen zor ayakta durursun. Çünkü ben senin yazdıklarını okurlar ile buluştururum. Oradan alırsın nice kez ilhamını. O kalpten kalbe bağlar olmasa daha güzel, daha yeni kitaplar yazmak için itkiyi, enerjiyi nereden bulursun?" "Sen fazla sosyalsin" der yazar. "Edebiyat yalnızlık sever." "Sen de fazla asosyalsin" der müellif. "Edebiyat kendini tekrar etmeye gelmez, hayattan kopmaya gelmez. Sana bıraksam kendi kendini kurutursun."

Bu ikisi anlamaz birbirlerinin halinden. Seneler geçse de çocuk gibi küserler. Ben kalırım arada, arafta...

Türkiye'de Yazar Olmak...

Edebiyata heves duyan gencecik okurlar sağ olsunlar içten bir merakla soruyorlar bazen: "Yazar olmak nasıl bir şey?" İşte bu yazı onlar ve sadece onlar için... Türkiye'de yazar olmak:

* Saatler, haftalar, aylar, seneler boyu aşkla, muhabbetle, özenle, sabırla, sebatla, tutkuyla didinmek, iğneyle kuyu kazar gibi satır satır, sayfa sayfa çalışmak-çalışmak-çalışmak demektir. Bu işin yüzde 17'si kabiliyet ise yüzde 83'ü emektir.

* Edebiyatı, romanları, buradan ta ötelere uzanan hayaller kurmayı, kelimelerle kalpten kalbe köprüler örmeyi sevmek ve kendini bir başkasının yerine koyabilmek, empati kurabilmek, hayata bambaşka açılardan bakabilmek, yüreğini ve zihnini geniş tutabilmek demektir.

* Hayallerin ve hikâyelerin naif dünyasında ikamet etmeyi şu hırçın ve kavgacı "gerçek" âleme yeğlemek, hatta zaman zaman roman karakterlerini etten kemikten müteşekkil kimi insanlardan daha samimi, daha hakiki bulmak demektir.

* Harfleri ve kelimeleri çok ama çok sevmek, bir tek cümle için bazen bir saat düşünmek, ciddiyetle araştırma yapmak, ayrıntılara meftun olmak demektir.

* Her kitabın çıkışından önce hem çocuksu bir heyecan ve sevinç, hem de adeta eski bir dostuna veda edercesine burukluk ve hüzün duymak demektir.

* Roman kitabevlerine dağıtıldıktan sonra bir müddet söyleşiler verip, imza günleri düzenleyip sonra gene sessiz sedasız kendi kabuğuna çekilmek, yazıya dönmek, evrensel ve kadim olan hikâye anlatma sanatına canı gönülden inanmak, hep inanmak demektir.

* Bu esnada hiç tanımadığın, bir kez olsun tanışmadığın ve belli ki seni zerre kadar tanımayan kimi insanların ileri geri

sözlerine maruz kalmak; gene de kimsenin aleyhine konuşmamaya özen göstermek, polemiklerden uzak durmak, sana avuç avuç çamur atana bir katre dahi çamur at-ma-mak, karşılık vermemek demektir.

* Seneler boyunca edebiyattan geçimini sağlayamadığın için başka işler yapmak, iki kat çalışmak durumunda kalmak, yazıya ancak akşamları ya da geceleri zaman ayırabilmek, on dört sene sonra kitaplarından para kazanmaya başladığında bu sefer de sırf bu yüzden eleştirilmek demektir.

* Eleştiriyi "bir şahıs hakkında tamamen olumsuz ve yıkıcı laf üretmek" zanneden bazı insanların imalarına, zanlarına, dedikodularına ve iftiralarına hedef olmak; bilhassa elit kesimin tepeden bakan, kimseyi beğenmeyen küçümseyici tavırlarına maruz kalmak, kitaptan çok kâtibin, yazıdan ziyade yazarın konuşulduğuna tanık olmak, her seferinde derin bir soluk alıp "Bu da geçer ya hu" diyebilmek demektir.

* Seni ve ruh halini en iyi başka edebiyatçılar anlar, verdiğin emeği ne de olsa en iyi onlar kavrar zannederken ne gariptir ki gene aynı çevrelerden ha bire iğneli, ha bire ağılı laflar işitmek, gene de duymazdan gelmek demektir.

* "Kendisiyle söyleşi yapanlara iPad veriyor" yahut "Kitabını imzalarken yanında promosyon kırtasiye dağıtıyor" veya "Sarışın ve kadın olduğu için Batı'da ilgi görüyor, bu yüzden kitapları basılıyor" gibi yakıştırmaları internet sitelerinde, gazetelerde okumak, gözlerine inanamamak demektir.

* "Kitap kapağında takım elbise giymiş erkek resmi var, bak bu kitabın kapağında da erkek resmi var, demek ki kapak çalıntı" lafını duymak demektir.

* "Romanında Londra'da yaşayan göçmen aile var, bak öteki romanda da Londra'da yaşayan göçmenler var, hatta onlar da camdan bakıyorlar, demek ki 450 sayfalık bu roman aşırmadır" iddiasına rastlamak demektir.

* Söylenen ve yazılan bunca asılsız söze çoğu zaman gülüp

geçmek, üzerinde bile durmamak, ama bazen de gülemeyip, kendi başına hüngür hüngür ağlamak demektir. Zaman zaman her şeyi bırakıp denizci olmak istemek, bunalmak-yorulmak-hırpalanmak demektir.

* Derken yolda sizi gören bir okurun yanınıza gelip, gözleri dolu dolu, yüzünde candan bir tebessümle size sarılıp, "Ben sizi o kadar seviyorum ki, hayatımda ne kadar büyük bir yeriniz olduğunu ah bir bilseniz" sözünü duymak, boğazında bir düğümle kalakalmak demektir.

* Beni nişan ve evlilik törenlerine, doğum günlerine davet eden, benden sevgililerine evlenme teklif ederken yanlarında bulundurmak üzere kitap imzalamamı isteyen, yatalak annesine okumak için kitabımı aldığını anlatan okurların mesaj ve mektuplarını okumak; düğün davetiyelerine *Aşk*'tan pasajlar koyanlara rastlamak yahut hapishaneden yazıp romanlar aracılığıyla hayata yepyeni bir nazarla baktıklarını söyleyenleri görmek; aynı aile içinde üç kuşağın aynı romanı okuduğuna ve sevdiğine tanık olmak; imza günüme gelen ve kuyrukta sabırla bekleyen seksen yedi yaşındaki İstanbul hanımefendisi Leyla Hanım'ı, Diyarbakırlı garson Yılmaz'ı, Köln doğumlu ve bugüne kadar sadece Almanca okuduğu halde artık benim romanlarımla Türkçe edebiyat okuduğunu anlatan Murat'ı dinlemek; yüzlerce, binlerce okurun gözlerindeki muhabbeti, yüreklerindeki saygıyı ve aslında onların sadece ve sadece kitapla ilgilendiklerini, romanı sevdiklerini görmek; okurlarınla kurduğun bağdan taptaze bir enerji, ilham ve feyiz almak; insana inanmak, edebiyata meftun olmak, harflere sevdalanmak demektir...

Dedikodu: Melek mi, Şeytan mı?

Hani zaman zaman bir cümle kaçıverir ağzımızdan. Yarı mahcup yarı mağrur itiraf ederiz: "Canım işte, kız kıza dedikodu yapıyoruz şurada tatlı tatlı. Ne var yani bunda?" Kalabalık yemek masalarında, dost meclislerinde bir de bakmışsın ki sohbet, karpuz gibi tam orta yerden bölünmüş. Kadınlar bir tarafta toplanmış, ortak bir tanıdıkları yahut hiç tanımadıkları biri hakkında konuşuyorlar kıyasıya. Doya doya. Aile, evlilik, skandallar... Erkekler ise beri tarafta. Mevzu siyaset yahut iş/kariyer ekseriya. Memleket meseleleri. Ama orada da var dedikodu, hem de gani gani; tek fark paketin başka türlü olması. Sunumun yani. Adına "dedikodu" demeden yapılması. Büyük bir ciddiyetle. Belki de son tahlilde, özel hikâyeleri memleket meseleleriymişçesine kutuplaşarak ele alıyor, memleket meselelerini de özel hikâyeler gibi şahsileştiriyoruz.

Hayatımıza renk, sohbetlerimize neşe, yüzümüze tebessüm kattığını düşünüyoruz başkalarını çekiştirmenin. Onları be-ğen-me-me-nin. Griler içinde bir tutam çingenepembesi, bir demet lavanta. Bu kadarını çok mu göreceğiz kendimize? Hem eğlenmek, çekiştirmek bizim de hakkımız değil mi şu kavanoz dipli dünyada? Velhasıl kendi kendimize kolaylıkla meşrulaştırıyoruz neden ve nasıl dedikodusuz yaşanmayacağını. Elimizde kürdan gibi incecik ve latif zıpkınlar, başkalarının mutsuzluğundan kendimize bir paye çıkarmak için avlanıyoruz derin sularda.

Tatlı mıdır dedikodu sahi? Nasıl bir tat bırakır geride? Dilde? Benlikte? Zihinde? Başkalarının özel hayatlarına olan merakımız, dinmeyen açlığımız basit ve masum bir sosyal alışkanlıktan mı kaynaklanır, yoksa çok daha derin ve saklı bir itkiden mi? Dedikodu bir yiyecek olsa feci kalorili, bol şekerli profiterole benzerdi muhtemelen. Yerken pek hoş gelir, ama sonra mideye oturur, geride zararlar bırakırdı. Dedikodu bir kitap olsa telefon rehberi olurdu muhtemelen. Uzaktan bakınca kallavi, dolu dolu, hatta "gerekli" ama okumaya kalksan benliğine hiçbir şey katmaz. Uzaktaki birinin dedikodusunu yaparken aslında kendi hayatımızdır masaya yatırdığımız. Bir deşseler kim bilir neler çıkar altından. Hepimizin içinde var ya terk etme arzusu ya terk edilme korkusu. Hepimizin etraftan, aileden, kendi özel hayatlarımızdan bir şeyler edinmişliği var. Yaralarımız, berelerimiz ve görünmez dövmelerimizle yaşıyoruz şu hayatı. Bir başkasına kızarken acaba bizi eskiden incitmiş olan herkese mi kızıyoruz? Birine kırık not verirken yoksa geçmişimizde bizi hırpalayan her ilişkiyi mi sınıfta bırakıyoruz?

"Birilerinin arkandan konuşmasından daha beter bir şey varsa o da kimsenin senin hakkında konuşmamasıdır" demişti Oscar Wilde o her zamanki keskin zekâsı, kinayeli üslubuyla. Ama hemen ardından eklemişti: "Söylenenlerin bir önemi yoktur. Söyleyenin önemi vardır." Sarf edilen laflardan ziyade onları kimin söylediğinin. İnce ayırım!

Bu yüzyılın önemli düşünür ve gezginlerinden Pico Iyer ise şöyle bir değerlendirme yapar: Dedikoduya olan açlığımız bizi, duyduğumuz her şeyi çekiştirerek konuşmaya, düşünmeden "gövdeye indirmeye" itiyor. Bilmiyoruz ki böyle yapa yapa aslında kendimizden tüketiyoruz. Dedikodu ziyafetinden karnımız tok değil, tam tersine, eksilerek, azalarak kalkıyoruz.

Onun yerine Einstein'ın Başarı Formülü'nü hatırlamakta fayda var. Diyelim ki, "Başarı A olsun" der. O zaman A eşittir X artı Y artı Z. Bu denklemde X çalışmaya tekabül eder. Yani X eşittir emek. Y ise oyundur. Hayatı sevmek, sevilmek, kıymet bilmek. Ve "Z" der Einstein, "insanın dilini tutmasına denk gelir." Dolayısıyla başarının formülü: Bol bol çalış, bol bol sev, bol bol oyna, aman dilini tut, kem söz etme kimse hakkında!

Güzel formül! Dün olduğu gibi bugün de aynen geçerli.

Genç Elif'e Nasihatler

Bir söyleşi esnasında bir gazeteci ısrarla Türkiye'de pek çok kadının artık "romancı" olmak istediğini, edebiyatçılığın en popüler meslekler arasına girdiğini (top tendeyiz artık!), yazar adaylarına ne tür nasihatlerde bulunacağımı sordu. Cevap veremedim, kekeledim. Doğrusu, o kadar kişisel bir serüven ki yazı dediğin, başkalarına öğüt vermek ne içimden geliyor, ne aklıma yatıyor. Sonuçta her yolcu bireysel yol haritasını çıkarıyor bu sonsuz âlemde. Her gemi başka başka sulara açılıyor kendi seyrüseferinde.

Lakin düşündüm, başkalarına olmasa da, eski halime birkaç nasihatim olabilir pekâlâ. "Ah keşke bunları daha önce bilseydim" dediğim türden sözler, kulağıma küpe. Genç Elif'e. Çuvaldızı da kendime saplayabilirim, iğneyi de.

1- Mürekkep hokkanı berrak tutmaya bak. Hokkanın içine öfke koyarsan öfkenin rengiyle yazarsın; sitem koyarsan sitemin rengiyle; hırs koyarsan hırsın rengiyle; keza muhabbet koyarsan muhabbetle yazarsın, aşkla tutkuyla.

2- "Yaratmak" zandan ibarettir. Bir şey yarattığımız yok aslında. O yüzden böbürlenmenin de anlamı yok. Rekabet etmenin de. Dünya zaten hikâye kaynıyor. Baksana ne çok insan, nasıl bir karmaşa, iç içe geçmiş kaderler, bütün alt metinler. En büyük yazar, Tanrı. Evren kocaman bir hikâye kitabı. Bizler mini minnacık roman karakterleriyiz, tek tek her birimiz. Öyleyse romancının işi sıfırdan yaratmak değil, kâinatın ritmine ve hikâyelerine kulak ve gönül vermek. Umberto Eco'nun dediği gibi: "Bağlantıları icat etmemiz gerekmiyor. Onlar zaten evrende mevcut."

3- Kalabalıklar arasında bile yalnızlık. Roman, sanatların en yalnızıdır. Tek başına yazılır. Tek başına okunur. Bu sayede zaten, kalpten kalbe köprüler kurabilir. Bir kitabı binlerce, yüz binlerce, milyonlarca insan okuyabilir. Gene de herkesin okuması yegânedir. Sorsan, aynı romandan herkesin anladığı başkadır.

4- Eleştirileri önemse, eleştirmenleri asla. Okuryazar cahillerden uzak dur ama okuruna tepeden bakma. Roman kapısı cümle âleme açık bir ev gibidir. Ev hanımı da işkadını da, sağcısı da solcusu da, muhafazakârı da liberali de, genci de yaşlısı da, türbanlısı da türbansızı da aynı eseri okuyabilir. Hikâyeler evrensel olduğuna, insanlığın nabzını tuttuğuna göre, hikâye anlatma sanatı kimseyi dışlayamaz. Yazar hayattan uzak kaldığı yahut okurlara tepeden baktığı zaman sirkeleşir, katılaşır, monotonlaşır. Sezai Karakoç'un vaktiyle dediği gibi, edebiyatın üç sacayağı var. Biri eser, biri yazar, biri ise okur. Bu ayaklardan bir tanesi eksilmeyegörsün, devriliverir.

5- Değişimden korkma. Okumak, insanı tepeden tırnağa değiştirir. Keza yazmak da. Her kitapla yüreğimiz yumuşar, kişiliğimiz olgunlaşır; nice hamlıklarımızdan bir katre daha düşer havaya.

6- Kabiliyet diye bir şey yok. Aslolan emek. Kendini yetenekli zannetmek parlak bir sabun köpüğünden ibarettir. Çalışmadan hiçbir şey olmaz bu dünyada. Saatlerce, günlerce, aylarca, senelerce çalışmak, çalışmak, çalışmak...

Bir Edebiyat Akşamı

İstanbul Modern'in bahçesinde bir akşamüstü. Havada meltem, etraftaki insanların yüzlerinde merak, tebessüm. Az sonra bir edebiyat söyleşisi başlayacak. Bakıyorum da bir ben değilim heyecanlı olan, okurlar da öyle. Kimi sırf bu buluşma için kalkmış, ta nerelerden gelmiş; kimi işyerinden izin almış, kendisine anlayış gösteren patronuna bir de kitap imzalamamı istiyor mümkünse. Kimi önemli bir randevuyu son anda iptal etmiş, kimi günler öncesinden hazırlanmış. Kimi yalnız gelmiş, kimi en can dostlarıyla. Kimi ise yaş gününü bu şekilde kutlamaya karar vermiş. Hem de kırkıncı yaş! Bu edebiyat etkinliğini minicik bir yaş günü hediyesi kabul etmiş, sahiplenmiş. Söyleşi öncesinde bir gazeteci soruyor: "Duyduğumuza göre siz özellikle istemişsiniz bu buluşmanın gerçekleşmesini; merak ettik, neden kabul ettiniz?" Kabul ettim, hem de seve seve. Zira inanıyorum ki bu tür sohbetlere ruhumuzun da, zihnimizin de çokça ihtiyacı var. Yani kitap konuşmaya. Eseri irdelemeye. Yazarı değil, şahısları değil, yazıyı analiz etmeye. Ve okurları da bu hasbihale eşit bir şekilde ortak etmeye.

Semih Gümüş ve Ömer Türkeş, Türk edebiyatına senelerce emek vermiş isimler. Her ikisi de hızla çeşitlenen kültür ve edebiyat dünyamızın en çok güven veren, en sebatkâr ve birikimli eleştirmenlerinden. Geçmişten bugüne her birinin gerek edebiyat üzerine genel değerlendirmelerini, gerekse kendi özelimdeki çözümlemelerini hep ilgiyle okudum. Doğrusu fikirlerine ve tespitlerine katılmadığım zamanlar oldu, hatta içten içe, kendi kendime serzenişte bulunduğum da vakidir ama görüşlerine, emeklerine hep önem verdim, veririm. Çünkü bir ülkede edebiyatın kalitesi, edebiyat eleştirisinin niteliğiyle paralel olarak yükselir. Edebiyat eleştirisinin derinliğini ve ciddiyetini yitirdiği ortamlarda ise bundan gene en çok

yazarlar ve ardından tabii okurlar zarar görür. Kısacası inanıyorum ki, eleştirmenlik kurumu ve edebiyat eleştirisi geleneğinin varlığı, yazın hayatının beslenmesi, serpilmesi ve kendini geliştirebilmesi için olmazsa olmaz kaynaklardır. Derken başlıyor etkinlik. Semih Gümüş, *İskender* üzerine üç tespit yaparak açıyor sözü. Göçmenlik olgusunun işlenmesi. Yarı Türk, yarı Kürt Toprak ailesi özelinde bizden, içimizden acılara ve hüzünlere ve hayal kırıklıklarına yer verilmesi. Ve tüm bu çerçeve içinde sunulan İskender karakteri. Ardından bana soruyor: "Peki neydi romanın arka planı?"

Öteden beri kurcalardı aile kurumu zihnimin tellerini. Yarı gıpta yarı merak ile seyreder dururdum bir film gibi. Lakin buradan hareketle bir roman yazmak için beklediğimi, bazı şeylerin bende olgunlaşmasını istediğimi söyleyerek başlıyorum söze. Aile bir muamma, bir duygusal yumak ki çöz çözebilirsen. Hem böylesine sevgi ve şefkat dolu, hem bunca yara bere ve arıza. "Aynı çatı altında bu kadar yakınken nasıl bu kadar uzak düşüyoruz? Ailenin bir ferdinin yüreğinde fırtınalar koparken, diğeri ne hisseder? Bir odanın kapısı kapandığı zaman, o kapının ardında anne çocuğun ya da çocuk annenin ne yaşadığını biliyor mu?"

Ömer Türkeş önce romandaki atmosferin ne kadar sağlam tutulduğuna dair sorular yöneltiyor, ardından dil ve üslup üzerinde uzun uzun duruyor. Kimlik, aidiyet ve insana dair temel meselelerin seneler içinde, romandan romana azalıp azalmadığını konuşuyoruz. Hem samimiyetle cevaplıyor hem aynı anda ben de onlarla beraber düşünüyorum. Zaman zaman şaşırdığım da oluyor. *Pinhan*'dan bu yana geçen seneler içinde ne çok şey birikmiş konuşacak, onu görüyorum. İngilizce ve Türkçe yazmak, kültürel elit ile okur arasındaki mesafe, son dönemdeki tartışmalar dahil onlarca konu ele alınıyor, nitelikten en ufak bir ödün vermeden. Söz okurlara gelince onlar da peş peşe sıralıyorlar sorularını. Türkiye'de bir yazarın politik duruşunun ne olması gerektiğinden *Siyah Süt*'te anlattığım parmak kadınlara; kadına yönelik şiddetten Türk edebiyatının dünya edebiyatına neler katabileceğine kadar geniş ve rengârenk bir yelpaze açılıyor önümüzde. Program bittiğinde hep beraber alkışlıyoruz. Hemen herkeste adı konmamış bir kıvanç var, görüyor, seziyorum. Kaliteli, incelikli bir sohbet gerçekleştirmiş olmanın kıvancı; bende, eleştirmenlerde, okurlarda. Elbirliğiyle gerçekleştirdik bu sohbeti zira, gönül ve akıl birliğiyle.

Sevgili okurlarıma naçizane tavsiyem. İstanbul Modern ile Sabit Fikir işbirliğinde düzenlenen ve belli ki çok emek sarf edilen, bunca özen gösterilen bu edebiyat sohbetlerini kaçırmayın. Hatta müdavimi olun. Hikâyelerimizi, harflerimizi paylaştıkça büyüdüğümüzü ve yaratıcılığın bulaşıcı olduğunu hatırlayalım böylece, bir kez daha.

Kitaptan Nefret Edenler

İnternet, tıpkı gökteki ay gibi, iki ayrı yüzü var. Bir tarafı gayet aydınlık, ışıl ışıl, öyle ki göz kamaştırıyor; diğer tarafı ise zifiri karanlıkta, henüz yeterince bilinmiyor.

Bir yanıyla bilginin ve iletişimin hızla yayılmasını, globalleşen dünyada karşılıklı ve beklenmedik etkileşimleri, en ücra köşelerde sivil itaatsizliği mümkün kıldı internet; bilginin ve dolayısıyla toplumların demokratikleşmesini, sivilleşmesini hızlandırdı.

Artık kimsenin tekelinde değil "bilmek". Herkesin her şeyi rahatlıkla okuyabildiği bir çağda yaşıyoruz; harflerin kapısı ardına kadar açık, olması gerektiği gibi.

Beri yandan bu dinamik süreç beraberinde ne yazık ki yanlış haber, dedikodu ve sövgü trafiği getirdi; önüne geçilemez bir bilgi kirliliği, hatta nefret söylemi (*hate speech*) doludizgin gitmekte. Meselenin bu boyutu henüz yeterince değerlendirilmiyor, tartışılmıyor. Ne var ki konuya kafa yoranlar önümüzdeki senelerde internetin bu şaibeli işlevinin katlanarak devam etmesinden endişe duyuyorlar.

Bugün Facebook'taki sayısız sayfalardan biri, kitap okumaktan nefret ettiğini söyleyen bir kesime ait. Tüm dünyadan, akla gelen her ülkeden, okumayı günahları kadar sevmeyenler burada toplanıyor. İlgimi çekiyor haliyle. İnsan okumaktan nasıl nefret eder ve sahi niye?

Sayfaya girip baktığınızda 460 bin kişilik sanal bir kitle buluyorsunuz karşınızda. Aralarında yazıştıkları filan yok; doğrusu kimsenin kimseden haberi dahi yok, önemli olan bir tavrın altının çizilmesi, bir haletiruhiyenin ifşa edilmesi: "Kitaplardan nefret ediyorum!" diyene "Ben de!" diye hak vermek, bir tavrı onaylamak.

Gönderilen mesajlara göz attığınızda bunların çoğunun ev

ödevi yapmaktan bunalmış liseli ya da üniversiteli gençler oldukların fark ediyorsunuz. Dünyanın her yerinden, benzer duygular içinde yazmışlar. Verdikleri tepki daha ziyade ders kitaplarına yönelik, çalışmaya, eğitim sistemine.

Ama bu güruhun yanı sıra bir de ciddi ciddi her türlü matbu metne alenen gıcık olduklarını söyleyenler var. Onlar da sadece sloganlarını yazıp bırakmışlar. Zaten bu sayfada herhangi bir fikir tartışması yok; bir tek nefretinizi beyan ediyorsunuz, kendiniz gibi düşünenler arasında. Şimdilerde Türkiye'de de yayılıyor bu moda. Okumaktan nefret ettiğini söylemek matah bir durum addediliyor; cool olmanın, dünyayı iplememenin göstergesi sayılıyor.

Hayatımın her anı kitaplarla iç içe geçmesine rağmen okumanın bir "seçkinlik yahut seçilmişlik" simgesi gibi algılanmasına hep karşı çıktım. Yazıyı da, yazarı da fetişleştirmeden, aşırı yüceltmeden bakabilmeli. Hazreti Şems, Hazreti Mevlânâ'nın birbirinden kıymetli kitaplarını suya attı, mürekkebi damla damla suya karıştırdı, malum. Ancak... Kitabi bilgilerle hayatı okumayı eleştirmek başka, okumaktan düpedüz nefret etmek bambaşka.

Matbaa Müslüman toplumlara geç geldi. Kitapların sistematik bir şekilde basılması, sınıf ayrımı yapmadan toplumun her kademesine yayılması ise ancak bu yüzyılda mümkün oldu. Artık kimsenin, hiçbir ülkenin cehaletle kaybedecek vakti yok.

Dünya bir kütüphane keşfedilmeyi bekleyen. İçinde yaşadığın şehir bir eser açılmayı bekleyen. Aşk da, insan da bir kitap okunmayı bekleyen...

Yaratıcı Beyin

İnsan beyni bir muamma. Yüz kapılı, bin odalı bir saray adeta. Git git bitmeyen bir labirent. Dehlizler, avizeli salonlar, mermer koridorlar boyu. Bu muazzam yapının henüz o kadar az bir kısmını keşfedebilmiş durumdayız ki. Bunca teknolojiye, bilimsel ödeneklere ve ilerlemeye rağmen hâlâ gelip gelebildiğimiz bir arpa boyu yoldur. Biz Âdemoğulları, Havvakızları aslında beynimizi tanımıyoruz bile. Daha kendimizi anlamaktan, potansiyelimizi görebilmekten âciziz.

Amerika'nın önde gelen ve saygın bilim kadınlarından (2000 senesinde Ulusal Bilim Madalyası ile ödüllendirildi) Nancy Andreasen tarafından kaleme alınmış ve hayli ses getiren bir kitap var: *Yaratıcı Beyin.* Yazar ömrünü nöroloji alanına adamış bir insan. Birbiri ardına eserler yazmış ve birden fazla büyük araştırma merkezinin başkanlığını yapmış yıllarca. Ama bir o kadar sıra dışı, şaşırtıcı ve biraz da çılgın bir bilim kadını. Zira her ne kadar ismini tıp alanında duyurmuş olsa da, bambaşka bir alanda doktorası var: İngiliz edebiyatı. İlginçtir, edebiyat onun ilk göz ağrısı. Hatta ilk mesleği. Derin tutkusu. Bir türlü vazgeçemediği sevda: Roman okumak.

Hekim dostlarına da hararetle tavsiye ediyor. Zira roman okumanın soyut düşünebilme yeteneğini artırdığına inanıyor. Böylece Andreasen bir yandan alabildiğine pozitivist, deneylere ve istatistiklere dayalı bilimsel çalışmalar içindeyken, bir yandan da sanata, sanatçılara ve edebiyata gösterdiği ilgiyle dikkat çekiyor; geleneksel "hekim" tanımından ayrılıyor.

Hani hep IQ ölçümlerine kafayı takıyoruz ya. İstiyoruz ki hem kendi IQ notumuz yüksek çıksın hem çocuklarımızınki. Halbuki yaratıcılık ile IQ notu aynı şey değiller. Bağlantılı ama farklılar. Amerika'da mimarlarla yapılan bir araştırmada denekler üç gruba ayrılır: Son derece yaratıcı olanlar, orta

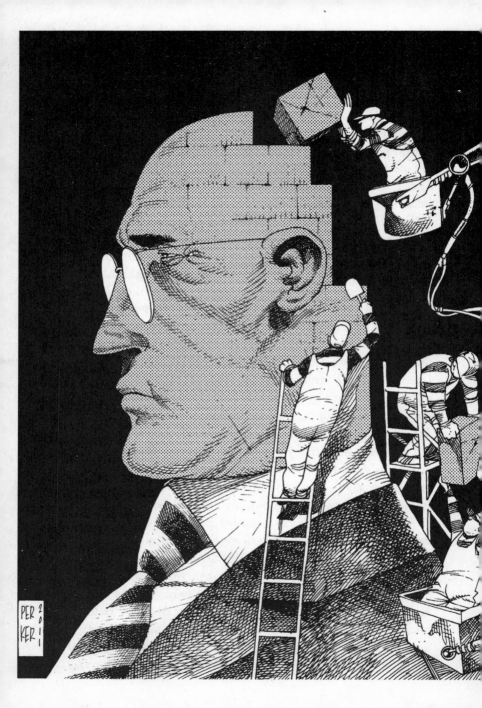

derece yaratıcı olanlar ve pek yaratıcı olmayanlar. Sonra her grubun IQ ölçümleri yapılır. Şaşırtıcı bir şekilde oranlar üç aşağı beş yukarı benzer çıkar. Oysa her üç grubun yaptığı işlerin kalitesi birbirinden oldukça farklıdır. Öyleyse, diyor Andreasen, IQ dışında, hatta ondan evvel bir de yaratıcılığa mı bakmak gerek? Ve en önemlisi, yaratıcılık geliştirilebilir bir şey midir? Yoksa sabit ve sadece bazılarına has bir yetenek mi?

Yaratıcı Beyin kitabında birkaç nokta var ki hem çocuklarımızı nasıl yetiştirmemiz gerektiği hususunda, hem de eğitim sistemimiz hakkında yeniden ve daha derinden düşünmeye davet ediyor bizleri. Andreasen'e göre iki türlü yaratıcılıktan bahsetmek mümkün. Bunlardan birine "ortalama yaratıcılık" adını veriyor. Diğerine ise "sıra dışı yaratıcılık". Birincisi aslında hemen hepimizde mevcut. Özene bezene güzel bir pasta pişiren ve bunu zevkle süsleyen bir ev hanımı da yaratıcı. Kendi imkânlarıyla bir takı atölyesi açan zanaatkâr da öyle.

Hepimizin içinde yaratıcılık, değişik oranlarda ve tonlarda da olsa, mevcut. Sıra dışı yaratıcılık ise Mozart, Michelangelo, Leonardo gibi dâhilere nasip bir basamak. Ancak her iki yaratıcılığın da ortaya çıkabilmesi ve yeşermesi için çevre faktörü çok önemli. Eğer bulunduğunuz ortam vasatlığı teşvik ediyorsa, şayet etrafınızdaki herkes sürekli negatif konuşuyorsa, sizin yaratıcılığınız da günbegün kuruyacaktır.

Peki tarih boyunca kim bilir kaç tane sıra dışı yaratıcı insan geldi ve kıymetleri anlaşılamadan yok olup gittiler? Mesela kaç tane böyle kadın vardı geçmişte? Ataerkil bir dünyada kendilerine bir yol açmaya çabalayan, hiçbir zaman ellerinden tutan olmadığı için yeteneklerini geliştirme imkânı bulamayan sessiz dâhiler...

Ancak Andreasen'in savları esas buradan sonra ilginç bir dönemece giriyor. Diyor ki, evet, doğuştan ve genlerle getirdiğimiz bir yaratıcılık var. Bu bazı insanlarda daha fazla. Ama çarpıcı olan nokta şu ki beyin sabit değil, organik bir yapı. Yani sürekli hareket halinde, gelişmekte.

Birçoğumuz bedenimizi inceltmek, daha sağlam ve sağlıklı kılmak için bir sürü yol deniyoruz. Rejim yapıyor, pilateslere, spora gidiyor, egzersizler yapıyor, yediğimize içtiğimize dikkat ediyor ya da en azından ha bire bu konuları konuşuyoruz. Peki ya beynimiz? Bedenimizi geliştirmek için bu kadar çaba gösterirken beynimizi geliştirmek için ne yapıyoruz? Hiçbir şey! Zira bedenimiz kadar beynimize de bakmamız gerektiğini unutuyoruz. Doğru, beynin daha hızlı geliştiği dönemler çocukluk ve buluğ çağı, ilk gençlik. Yani bir anlamda "ağaç yaşken eğiliyor" ama sanmayın ki ondan sonra beynimiz büyümesini durduruyor. Otuzlarında, kırklarında, ellilerinde ve daha yüksek yaşlarda da insan beyni kendini yeniden yapılandırabiliyor. Londra'da taksi şoförleriyle yapılan bir çalışmada bu grubun nüfusun kalan kısmına kıyasla, beyinlerindeki görsel hafıza kısmının daha geniş olduğu saptandı. Sebebi şu: Yaptığımız işe göre beynimiz yeniden şekilleniyor, kendi kabiliyetlerini yeniden düzenliyor.

Andreasen diyor ki, öyleyse hepimizin her gün en az yarım saat beyin egzersizi yapmamız lazım. Aynı zamanda roman okumaya, seçici olmak kaydıyla film seyretmeye, meditasyon yapmaya/tefekküre dalmaya ve hayal gücünüzü bol bol çalıştırmaya önem verin. Beyin dediğimiz bir kastır. Kullanıldıkça gelişir. Kullanılmazsa durağanlaşır. Sorgulamayan, düşünmeyen, okumayan beyin yerinde sayar. Kendi potansiyelinin ancak binde birini açığa çıkarabilir.

Kaynayan Kazan

İki erkeğin hikâyesidir anlatacağım. Bir sinemacı ve bir edebiyatçı. Fikirleri, dünya görüşleri, aşkları ve tutkuları, velhasıl yaşam mücadeleleri, hatta karakterleri birbirine paralel akan iki savaşçı. İki yakın dost, sırdaş ve yoldaş, canciğer arkadaş. Ve derken...

Öyle insanlar vardır ki aynı dönemde, benzer mekânlarda yaşamış olmaları sıradan bir tesadüf değil, "ruhani bir buluşma"dır adeta. Bir tevafuk eseri. Pulitzer ödüllü Arthur Miller ve Oscar ödüllü Elia Kazan'ın yollarının kesişmesi gibi. Aralarındaki dayanışma herkesin gıpta ettiği bir boyuttaydı. Ve daha ilk bakışta bile dikkatleri çeken o kadar çok ortak noktaları vardı ki.

1909 İstanbul doğumlu, Kayserili Rum bir aileden gelen, daha sonra Amerika'ya göç eden Elia Kazan... Gerçek ismi Elia Kazancıoğlu'ydu. Toplumsal içerikli eserlere meyleden, hep bir derdi olan hikâyeler peşinde koşan, sürekli kendini geliştirmeye çalışan, dünyaca ünlü film ve tiyatro yönetmeni. Doksan dört yaşında vefat ettiği güne kadar üç kez evlendi; dönemin Hollywood yıldızlarıyla çalkantılı, dedikodulu aşklar yaşadı...

Arthur Miller ise tartışmasız Amerikan kültür ve sanat âleminin en fazla saygı uyandıran yıldızları arasındaydı. Üretkendi. İlkeliydi. Tiyatro oyunları, romanlar, öyküler kaleme aldı. Üstelik kariyerleri açısından da bereketli bir ahbaplıktı onlarınki. Ne de olsa Kazan, Miller'ın oyunlarını Broadway'de yönetmişti. Bunların arasında en bilinen, elbette, *Satıcının Ölümü*.

Daha az bilinen noktalar da vardı hayatları hakkında. İkisi de aynı kadına âşık olmuştu mesela: Marilyn Monroe. İkisi de hiçbir zaman saklamadılar bu ilgiyi. En nihayetinde

Arthur Miller ile evlendi Marilyn Monroe. Dönemin en tartışılan birlikteliklerinden biri oldu. Kültürlü, donanımlı, biraz da aksi bir entelektüelin "sarışın sinema yıldızı"nda ne bulduğunu sorgulayanlar çıktı. Zor bir evlilikti onlarınki, olanca sevgiye rağmen. Seneler sonra Arthur Miller bir söyleşisinde itiraf edecekti: "Marilyn Monroe ile evlendim ama kendimi Norma Miller ile yaşarken buldum. Her sabah, her akşam, her gece onu teselli etmekten, korkularını, endişelerini yatıştırmaktan yoruldum."

Kısa zamanda evlilikleri tavsadı, Marilyn Monroe'nun mutsuzluğu ve tutunamayışı derinleşti. İçki ve uyuşturucu iptilası bu sürece hız verdi, sonunda boşandılar. Ancak iki erkeğin dostlukları devam etmekteydi. Ta ki 1952 senesine kadar. O zamanlar Amerika bugünkünden farklı bir yerdi. Komünizm korkusu, paranoya, Soğuk Savaş, McCarthy dönemi... Bir cadı avı sürmekte; yazan, çizen, düşünen, sorgulayan ve farklı konuşan herkes, bilhassa hükümetin iç ve dış politikalarını eleştirme cesareti gösteren herkes kendini baskı altında hissetmekteydi. Birçok aydın o dönemde McCarthy mahkemelerinde tanıklık etmeye zorlandı. Nitekim bu meşhur mektuplardan bir tane de Elia Kazan aldı.

İfade verenlerden, başka "iç mihraklar"ın isimlerini vermeleri isteniyordu. Sorgulanan kişi isim listesi sunarsa, "suçu" bağışlanıyor, hafif bir ceza ya da azarla salınıveriyordu ekseriya. Ardından listedeki isimler çağrılıyordu bu sefer ifade vermeye. Böyle böyle, uzun zincirler halinde birbirlerini ispiyonlamaya teşvik ediliyordu insanlar. Korku hâkimdi ortama. Korku ve sindirme. Elia Kazan işte bu ortamda ifade vermeye çağrıldığında, uzun bir vicdan muhasebesine girdi. Bir yandan kimsenin ismini vermek istemiyor, hadisenin anlamsızlığını görüyor; fakat bir yandan da kendi paçasını kurtarmak istiyordu. Ve seçimini yaptı. Verdiği isim listesinde Arthur Miller da vardı.

İnsan yakın dostu tarafından "komünist faaliyetler içinde olmak" sebebiyle ispiyonlandığını öğrense ne hisseder? Nasıl bir yürek burkulması taşır? Elia Kazan'ın tanıklığından ötürü bir süre sonra Arthur Miller da ifade vermeye çağrılacaktı. Ancak kendisinden isim vermesi istendiğinde McCarthy yönetimine kafa tuttu; süregiden adaletsizliğe kurban verecek tek bir isim dahi olmadığını söyledi, dik durdu. Karşılığında hükümet ve Hollywood tarafından dışlandı, oyunlarını sahneleyecek yer, basacak yayınevi bulmakta zorlandı. Ama ilkesinden ödün vermedi. Ne gariptir ki böyle yoğun bir baskı karşısında bile eğilmeyen bu aydın, hayatın bir başka alanında çuvallayacaktı.

Arthur Miller, Marilyn Monroe'dan ayrıldıktan sonra mutlu bir evlilik yaptı. Kendisi gibi zeki, donanımlı, kültürlü bir kadınla. Bir kız çocuklarının olması bu evliliği zenginleştirdi. Derken bir de oğulları oldu. Ancak çocuk Down sendromuyla dünyaya gelmişti. İşte o noktada, McCarthy döneminin cadı avına bile yenilmeyen Arthur Miller bu çocuğa bakamayacağına, bir kliniğe kapatılmasına karar verdi. Karısının tüm itirazlarına rağmen. O noktadan itibaren, bütün ilgisini ve sevgisini kızıma verdi.

Dışarıdan güçlü ve akıllı görünen insanların aslında ne çok hataları, günahları, eksikleri var. En ilkeli, en sağlam karakterli görünenlerimizin bile, hatta belki en çok onların... Yakın dostunu mahkemede ispiyonlayan bir sinemacı, Down sendromlu oğlunu evlat olarak göremeyen bir edebiyatçı... Âcizliklerimiz ve dirayetlerimiz hep ama hep iç içe... Belki de budur insan olmanın ve insan olamamanın anlamı.

Borges

Borges... Ne çok okuduğum, nasıl önem verdiğim, eserlerini bunca sevip de kişiliğini ve bakış açısını yer yer sorunlu bulduğum, bir labirent gibi cümlelerinin içinde kaybolduğum, seneler sonra oğluma bir eserinin (*Zahir*) ismini verdiğim yazar. Esas ismi Jorge Francisco Isidoro Luis Borges Acevedo idi. 1899'da Buenos Aires'te doğdu, çocukluğu farklı şehirler ve ülkelerde geçti. İsviçre, İspanya... Hep birden fazla dil konuştu hayatı boyunca; bazen aynı dilin içinde diller/üsluplar yarattı kendine. Çatal çatal yollar açtı...

İyi bir yazar olduğu kadar mükemmel bir tercümandı. Etrafındaki oğlan çocuklarının aksine oyunlara, dövüşlere meraklı olmadı hiçbir zaman. Kimi zaman utandı bu durumdan, kendini yeterince "erkek" hissetmedi onların yanında. Varsa yoksa kitaplardı Borges için: "Çocukluğumun en önemli olayı neydi diye sorsanız, babamın kütüphanesiydi derim." Evdeki kütüphaneden romanlar alıp okumak, yaşının ötesinde kitapların deryasına dalmak...

Henüz daha çocukken Borges'in en sevdiği şeydi kitaplar; büyüyünce de değişmedi. İlk mesleği de kütüphanecilik oldu. Görme yeteneği doğuştan zayıftı ama yaşı ilerledikçe durumu kötüleşti, en nihayetinde tamamen körleşinceye dek. Ne ilginçtir ki eleştirmenler ve edebiyat meraklıları ondaki görme kaybının hayal etme yeteneğini daha da artırdığına inandılar. Bu "gerçek" dünyayı göremedikçe, hayali âlemi daha iyi seyreyledi Borges. Belki de bu yüzden yazıları hep gerçeküstü olaylar, karakterler ve varlıklarla dolu oldu. "Biz körler kadar varoluşun derinliğini kim sorgulayabilir ki?" diye sormuştu bir seferinde. İki gözü kapalıyken, üçüncü gözü hep açık kaldı. Sevdikleri, sevenleri ona kitap okumaya başladılar. En çok da annesi. Biricik oğlunun romanların dünyasından kopmaması için büyük bir özveriyle saatlerce kitap okurdu yanı başında. Dinlerdi Borges. Hayal ederek, içine çekerek kelimeleri, su gibi...

1961'de Samuel Beckett ile birlikte Grand Prix International ödülüne layık görüldü. Bu tarihten sonra uluslararası şöhreti arttı, okurları çoğaldı. Uzun süre evlenmedi Borges, evlenemedi. Annesine olan bağlılığı derindi. Annesi doksan yaşına geldiğinde Borges'in evlenmesi için ona baskı yapmaya başladı. Yakında bu hayattan ayrılacaktı ve onu seven bir kadının oğluna bakacağından emin olmak istiyordu. Ne var ki Borges'in yaptığı evlilik sadece üç sene sürebildi. Karısından ayrılır ayrılmaz yeniden annesiyle yaşamaya başladı. Ta ki annesi doksan dokuz yaşında vefat edinceye kadar.

Bu dönemde Latin Amerika'da sol ideoloji hem teoride hem pratikte şaha kalkmıştı. Borges ise kendini hiçbir politik harekete yakın hissetmiyordu. Bireye, bireyselliğe önem veriyor; devletin ve kolektif aidiyetlerin egemen olduğu sistemlerde bir sanatçı olarak rahat edemiyordu. Peron başa geçtiğinde yeni iktidara destek vermek bir kenara, keskin eleştirilerde bulundu. Juan Perón'u "zalim", karısını ise "sıradan bir fahişe" olarak niteleyecek kadar keskin. Neruda'yı da sevmezdi Borges. Onun iyi bir şair olduğunu ama çekilir bir adam olmadığını söylerdi.

Latin Amerika solunun Sovyetler Birliği'ne verdiği koşulsuz desteği hiçbir zaman anlayamadı. Ne var ki Borges'in sola olan yoğun antipatisi onu 1970 başlarında askeri cuntayı desteklemeye götürdü. Kısa zamanda hatasını anladı. Bu kez de cunta karşıtı oldu. 1934'te Arjantin'deki aşırı milliyetçiler, tıpkı bizde olduğu gibi bir söylem tutturarak, Borges'in "has ve hakiki Arjantinli" olmadığını iddia ettiler. Kökü dışarıda dediler onun için. "Hakiki Arjantinli sayılmaz, hatta muhtemelen Yahudi kanı var sülalesinde" dediler. Buna karşılık Borges güçlü bir şiir yazdı. Kimlikleri altüst eden, dışlayıcı söylemleri tersine çeviren bir şiir. Aynı sertlikte Nazi ideolojisini eleştirdi. Nefret aşılamanın bir suç olduğuna inandı. Almanya'da yükselen faşist ideoloji karşısında hep dehşete düştü. Nazizm'in bir yaşam felsefesi değil bir ölüm felsefesi olduğunu dile getirdi: "Onun uğruna ya ölür ya da öldürürsün."

Borges kadınları anlatabilen bir yazar değildi, anlayabildiği de şüpheli ya. Muazzam eserler yazdı, bir o kadar hatalar yaptı hayatı boyunca. Diktatör Pinochet'nin elinden ödül almayı içine sindirebilmesi bu hataların en büyüğüydü belki de. Bugün ise tüm sevapları ve günahlarıyla ama hep koca bir çınar, büyük bir yazar olarak hatırlanmakta.

Sanatçı Siyasetçi Olur mu?

Sene biterken, Václav Havel'in vefat ettiği haberi düştü ajanslara. 75 yaşındaydı. Oyun yazarı, şair, muhalif, insan hakları savunucusu, demokrat, iflah olmaz sigara tiryakisi, ayrıksı, sanatçı ve siyasetçi; yan yana görmeye alışkın olmadığımız sıfat ve tanımları bir bünyede buluşturan adam, gözlerini yumdu. Tam on dört sene boyunca siyaset koltuğunda oturan, on dokuz edebi esere imza atan, tüm dünyada Çek kültürünün simgesi olarak bakılan Havel, sıra dışı bir politikacı olduğu kadar kendi kuşağının en aykırı seslerinden biriydi. Dünyanın dört bir yanından liderlerin katıldığı cenaze törenini, vaktiyle onunla aynı hapishanede, aynı hücrede kalan bir din adamı yönetti. Cenazesi ahir ömrünün dalgalanmalarının bir özeti gibiydi.

Sanatçıdan siyasetçi olur mu? En duyarlı noktası "bireyin hakları"nı korumak olan bir entelektüelden, vazifesi "devletin bekası"nı kollamak olan bir bürokrat çıkar mı? Şair adam devletin en yüksek kademesindeki koltuğa oturur mu? Peki muhalif biri muktedir olabilir mi? Kenarda duran, kenarda kalan, merkeze yerleşebilir mi? Sıra dışı bir birey iken bir insan, geneli ve ortalamayı temsil etmeye başlayabilir mi? Ederse değişir mi? Değişirse, eski ilkelerine sadık kalabilir mi? İktidar sahibi olmak (hangi alanda olursa olsun) insanların aykırılıklarını, çılgın yanlarını ve dahi hayallerini törpüler mi? Biz mi değiştiririz kurumları, yoksa kurumlar mı bizi şekillendirir usul usul, çaktırmadan? Sahi değişimin ne kadarı iyi ve hayırlı, nereden sonrası "fazla" sayılır? Bir cevabı var mı?

Havel'in kişiliği ve çelişkileri tüm bu çetrefil sorulara ayna içinde ayna tutar gibi... Kabına sığmayan, renkli bir siyasetçiydi Havel. Dalai Lama ile yan yana oturup saatlerce meditasyon yapan bir lider. Bill Clinton ile caz kulüplerinde müzik dinleyen, müzik yapan bir lider. Mick Jagger ile sohbet edebilmek için yolunu değiştiren, protokolü aksatan bir lider. Seçilir seçilmez, başka devlet adamlarından evvel, Frank Zappa gibi müziğin en uç, en uçuk, en şahane isimleri tarafından ziyaret edilen bir lider. Belki de etrafındaki efsane ile Havel'in kendisi arasında bir uyuşmazlık vardı. Zaman zaman kendi de yakınırdı bu durumdan. Bir söyleşisinde, ister istemez bir masal kahramanına dönüştüğünü, artık kendisinin dahi bu kahramanı tanıyamadığını itiraf etmişti. Onun gibi hikâyeler kurmaya, hayaller üretmeye alışkın birinin, kendi ismi etrafında dönen hikâye ve hayaller karşısında afallaması bana hep ilginç geldi. Havel her türlü totaliter düşünceye karşıydı ve hep öyle kaldı. Sosyalizmle de, komünizmle de yıldızı barışmadı. 1978'de çok ses getiren bir makale yazdı.

"Güçsüzlerin Gücü" ya da "Erksizlerin İktidarı" diye çevirmek mümkün başlığını. Bu makale illegal yollardan çoğaltılarak elden ele dolaştı dönemin Çekoslovakyası'nda. Pek çok edebiyatçı gibi Havel'in de başı otoritelerle belaya girdi. 1970'te devlet televizyonlarında "vatan haini" olarak damgalandı, kitapları yasaklandı. 1977'de insan hakları bildirgesine imza attıktan kısa bir süre sonra tutuklandı, yargılandı ve üç ay hapis yattı. Çıktı, muhalefete devam etti. 1979'da yeniden tutuklandı, bu sefer dört buçuk sene hapis yattı. Onu bu kadar yıpratan, hırpalayan ülkesinden ayrılmak için defalarca fırsat geçti eline, yapmadı, yapamadı. Seneler sonra aynı ülkeye devlet başkanı olacaktı.

"Hakikat ve muhabbet, yalanlara ve nefrete ağır basacak bir gün" derdi Havel. Bu slogandan dolayı çok da eleştiri aldı. Onu gereğinden fazla romantik, nahif ve çocuksu olmakla eleştirdiler. Umursamadı. Sonuna kadar çocuk, nahif ve romantik kaldı.

Aynılaşmanın tehlikelerine her fırsatta dikkat çekti. Devletin de muhalefetin de farklı ve karşıt fikirlere açık olması gerektiğine inandı. Dünya ayağa kalktı 1980'lerde yeniden tutuklandığında. Hapiste zatürree olunca serbest bırakıldı. Derken Berlin Duvarı yıkıldı. Taşlar yerinden oynadı. Yeni yapılanmada Havel muazzam bir rol oynayacaktı. Demokrasi, insan hakları, sivil toplum ve azınlık hakları için uğraştı. Avrupa'da bile ne yazık ki kimsenin pek umursamadığı "Çingenelerin hakları" için verdiği uğraş takdire şayandı. "Bir ömür boyu muhalefetteyken inandığım idealleri şimdi iktidardayken hayata geçirmek ne zor" diyecek kadar samimiydi kendi açmazlarını görmek ve göstermek hususunda. Sadece sanatçılar, edebiyatçılar değil, dünya kamuoyu onu çok sevdi, önemsedi. Kim bilir belki kendi ülkesinden ziyade uluslararası arenada sevildi, iz bıraktı.

Václav Havel, sanat ile siyaset arasındaki o incecik buzdan çizgide yürüyen bir dengebaz, kelimebaz, cambaz idi. Biyografisini okumalı muhakkak...

Lanetli Şairler

Sanatçı dediğin, yüreğinin ibresi sevinçten çok hüzne, gündüzden çok geceye, kolektif kimliklerin güvencesinden ziyade bireysel sergüzeştlerde yitip gitmeye, bahardansa güze ayarlı kişi midir? Şayet öyleyse, doğuştan mıdır bu haller, yoksa sonradan mı gelir insana? Yaşadıkça, zaman geçtikçe, peyderpey... Mutlu şair var mıdır sahi? Hani şair olup da güle oynaya şıkıdım ve doygun bir hayat süren var mıdır? Olabilir mi? Patti Smith'in otobiyografik kitabını henüz bitirdim. Çok da sevdim. Birçok insan onu hep müzisyen yanıyla tanısa da burada şairliği çıkmış ön plana. Kelimelere olan tutkusu, notalara sevdasından daha derin aslında... Yaratıcılığa, yalnızlığa, arayışa, yeniliğe, gençliğe, aşka ve bir o kadar hüzne adanmış bir kitap bu. Gençlik sevgilisi, ömür boyu kopamadığı bir başka sanatçıyı da anlatıyor uzun uzun. Çılgın, girişken, sanatkâr, ama son tahlilde kendini yok etmeye meyyal bir erkeği sevmenin külfeti, ağırlığı, güzelliği dökülüyor sayfalarından.

Baudelaire için çokça kullanılan bir söz vardır: "Şairlerin laneti." Lanetli şair olarak görülür hep o, belki de tüm şairler öyledir ya. Dehadır. Kimse onun gibi yazmamıştır, ne daha evvel ne daha sonra. Kimse kelimelerle öylesine sevişmemiştir, yüreğini feda edip ilham perisine. Gençliğinde hayat kadınlarıyla beraber olmuş, bunlardan biriyle daha ciddi bir birliktelik içine girmiş ve frengi kapmıştı. Hastalığı ilerledikçe şiirlerini de etkiledi. Ve ruh halini... Koyvermişliğini. Öfke nöbetlerini. Haşhaş bağımlısıydı. Kızgın ve kırgındı birçok şeye, en çok da üvey babasına.

Edgar Allan Poe... O çok sevdiğimiz; çizimleri, şiirleri ve hikâyeleriyle hiç kimseciklere benzemeyen, hâlâ günümüz sanatçılarına yol gösteren, labirent ruhlu adam... Alkol bağımlısıydı. Ölesiye içerdi, ölümüne içerdi. Baudelaire'e göre tam da böyle "gamsızca kayabildiği" için, uzaklaşabildiği için gerçeklik denilen canavarın tahakkümünden, yazabilmişti bu kadar iyi ve derinden. Sanatının yaşaması için onun kendisini öldürmesi gerekiyordu; adım adım, azar azar. Şair dediğin her gün biraz daha intihar eden insan mıdır? Baudelaire nasıl Edgar Allan Poe'ya saygı duyduysa, Verlaine de Baudelaire'e hayrandı bir o kadar.

Paul Verlaine... Batı şiirinin asi, delişmen oğlu. Ne var ki içki, özellikle o dönem moda olan apsent hayatını da, karakterini de zedeledi. İçince tahammül edilmez olur, etrafa saldırır, hoyratlaşırdı. Sözlü ve fiziksel şiddete başvururdu. Bugün edebiyat dünyasının saygıyla andığı sanatçı aslında karısını ve çocuğunu döven biriydi.

Ve Rimbaud... En genç, en dâhi, en güzel, en pırıltılı ışık... O da bir başka lanetliydi aslında. Üstelik Verlaine ile önce arkadaş, sonra çift olmaları ondaki deliliği daha da pekiştirdi. Eline çakı ya da bıçak alır, şair dostunun kollarını, bacaklarını, avuçlarını çizerdi kanatıncaya kadar. "Ben lanetliyim, biliyorsun" diye ilerler bir şiiri. Sonunda bir gün Verlaine, gene içip kabalaştığı bir noktada, Rimbaud'yu bileğinden vurdu. Ardından hapse atıldı. Hayatının bundan sonraki kısmı pişmanlıkla kendini sorgulayarak geçti.

Gérard de Nerval... 1855 senesinde teyzesine o akşam onu beklememesini, zira gecenin siyah ve beyaz olacağını söyleyen; geride dolaylı, imalı bir veda notu bırakan, sonra da kendisini bir pencere demirine asıveren şair, yazar, çılgın, iflah olmaz romantik...

Rus şiirinin en önemli kalemlerinden, gür sesli Sergey Yesenin. 1925'te şair dostuna mektup bırakarak bileklerini kesti. O mektubun muhatabı olan ve onu çok seven, lakin intihar etmesine çok kızan, içerleyen, sonra da aynı şeyi silahla kendisi tekrarlayan Mayakovski...

Çocuklarının yanına süt bıraktıktan sonra, odalarının kapısını bantlayan, kafasını fırından içeri sokarak yaşamına son veren Amerikalı şair, feminist, güzel Sylvia Plath... Ve onu tez konusu olarak inceleyip, daha sonra kendisi de intihar eden Nilgün Marmara... Şairlerin laneti...

Mutlu şair var mıdır sahi? Olabilir mi?

Örümcek Kadının Öpücüğü

En sevdiğim romanlardan biridir *Örümcek Kadının Öpücüğü*. Bende, gençliğimde iz bırakan eserlerden. Türkçeye kıymetli kalem Nihal Yeğinobalı tarafından kazandırılmış. Yazarı ise Arjantin'in usta edebiyatçılarından Manuel Puig. Belki farkında değiliz ama Güney Amerika'ya hemen her gidenin rahatlıkla gördüğü bir ayrıntı var: Arjantin ile Türkiye çok sayıda ortak özelliklere sahip. Karmaşık geçmişleriyle hesaplaşan/hesaplaşamayan çetrefil, dinamik, renkli ve geleceğe odaklanmış iki ülke; zor topraklar, dinmeyen tartışmalar, bireyini hırpalayan topluluklar, hüzün ve isyan ve her şeye rağmen buram buram gelişen sanat, edebiyat, aşk...

Daha sonra bir de filmi yapıldı bu romanın. O da çok güzeldi. Unutulmaz Raul Julia ve William Hurt başrollerde. 1970'li yıllarda tam da askerlerin yönetimi ele geçirdiği dönemlerde hapishanede kendilerini aynı hücrede bulan iki kişinin öyküsüdür bu.

Biri Marksist, devrimci Valentin. İdealist, sert, erkeksi, mücadeleci. Diğeri ise kimliğinden dolayı hep aşağılanan, horlanan, duyarlı, duygusal, güzeli ve estetiği seven, kendince var olma mücadelesi veren eşcinsel Molina.

Valentin ilk başlarda hiç hoşlanmaz tasvip etmediği Molina ile aynı mekânı paylaşmaktan. Saklamaz da bunu. Alabildiğine ters davranır ona. Lakin zaman içinde, aynı işkencelerden geçe geçe, birbirini daha iyi anlayan ve tanıyan bu iki insan, emsalsiz bir ruh birliği yakalar. İnsanın içini karartan bir hapishane hücresinde onlar yoldaş olur birbirlerine, arkadaş ve ruhdaş...

***

Bülent Ersoy, Deniz Gezmiş'i tanıdığını söyledi. Ardından kızılca kıyamet koptu. Gelen tepkileri eleştirdiğim *Habertürk* yazıma ve Twitter adresime gelen yorumlardan anlıyorum ki, ne yazık ki, fazlasıyla homofobik ve transfobik bir toplum olmaya devam ediyoruz. Dünyayı kucaklamaya daha açık olması gereken gençlerin önyargılarını görmek daha üzücü. "Yapmayın Elif Hanım, bu tipleri hoş mu görelim yani?" diye sormuş bir kadın okurum. Hoş görmeyeceğiz, hayır. Çünkü bu "hoş görmek" lafını artık sevemez oldum. Tepelerden bakmak var içinde, gizli bir mesafe.

"Daha doğru olanın", "yanlış veya eksik" gördüğü kişiyi tolere etmesi var. Bir nevi kadife kibir. Yumuşak, dışarıdan ama kibir son tahlilde.

O yüzden, eşcinselleri, travestileri, transseksüelleri "hoş görmeyeceğiz". Eşit göreceğiz. Bir göreceğiz. Aynen benim gibi, senin gibi, ne bir eksik ne bir fazla; Âdemoğlu Âdem, Havvakızı Havva insan! Etten ve kemikten ve duygudan ve umuttan ve sırça bir kalpten müteşekkil... Bu kadar basit. Artık "İyi ama onlar..." diye başlayan cümlelere ihtiyacımız yok bizim.

Sizi bilmem ama ben Bozkurt Nuhoğlu'nun Pembe Hayat Derneği'ne gönderdiği özür mesajından çok etkilendim. Tavrını, özeleştirisini hem samimi hem cesur buldum. Bilhassa kimsenin kolay kolay hatasını kabul etmediği, yumuşamaya yanaşmadığı bir ortamda örnek bir davranış sergiledi. En sevdiği filmlerden birinin *Örümcek Kadının Öpücüğü* olduğunu söylüyor:

"Bilenler bilir, filmin kahramanlarından biri olan devrimci karakter, bir eşcinselle aynı hücreyi paylaşır. Ve filmin yarısında yılların ezberiyle hücre arkadaşına bir devrimciye yakışmayacak şekilde davranır. Ama sonra hatasını anlar.

Ben de o devrimcinin durumundayım. Filmin ilk yarısında yılların alışkanlığıyla, koşullanmışlığıyla, ezberiyle hatalı davrandım. Başta Bülent Ersoy olmak üzere, verdiğim beyanlarla hırpaladığım, kırdığım, incittiğim, üzdüğüm herkesten özür diliyorum."

Demek ki biz hâlâ bir yerlerde buluşabiliyor, birbirimizin sesini, incinmişliğini duyabiliyoruz. Hepimizde var değişmesi gereken önyargılar.

Türbanlı kadın fobisi olan bir kadının bir türbanlıyla, Kemalist nefreti olan birinin bir Kemalistle, Ermeni takıntısı olan birinin bir Ermeni'yle, Kürt sevgisizliği taşıyan birinin bir Kürt'le, Alevileri aşağılayan birinin bir Alevi'yle...

Velhasıl şu ya da bu şekilde hepimizin kalbimizde ve zihnimizde ötelediğimiz o öteki insanla aynı hücreye düşmemiz mi gerekiyor kendimizi sorgulamak, dogmalarımızı ve kireçlenmiş önyargılarımızı aşmak, özünde ve son tahlilde sadece ve sadece insan olduğumuzu hatırlamak için.

Yolculuk Notları

Türkiye'de seçim öncesi siyaset meydanları gene hırçın, gene sert ve kavgacı üsluplara tanık oladursun, hemen her partiden politikacının memleket için gelecek planları yaparken unuttuğu, göz ardı ettiği geniş bir kesim var: Yurtdışındaki Türkler. Sürekli görüyorum onları. İmza günlerimde, edebiyat okumalarımda, hangi ülkede olursam olayım, sağ olsunlar hep geliyor, candan gülümsüyor, dikkatle ve merakla takip ediyor, sonra biraz da kendilerinden bahsediyor, yarı mahcup anlatıyorlar. Dinliyorum hikâyelerini, beklentilerini, hayal kırıklıklarını. Hasret ve sitem var dillerinde. Fazla değil, bir parça. Gene de kalendermeşrepler zira. Tebessüm etmeyi, hayata hoş nazarla bakmayı seviyorlar. Onların gözünden bakınca nasıl görünüyor dünya, sıla, gurbet, düşünüyorum. Kimisi sekiz sene evvel gelmiş New York'a, okumak için, mezun olunca kalmış, dönmemiş bir daha. Kimisi Türkiye'de doğmuş, Avusturya'da büyümüş. Kimisinin annesi yabancı babası Türk. Kimi aksanlı bir şekilde Türkçe konuşuyor Londra ya da Paris veya Amsterdam sokaklarında. Kimisi Kanada'da yaşıyor, İtalya'da, Danimarka'da.

Birbirinden çok farklı yaşamöykülerinden gelen tüm bu genç ve yaşı-olmasa-da-yüreği-ve-zihni-genç insanların ortak bir noktası var: Hem Türk hem dünya vatandaşı olmaları.

Kültürlerarası kavşaklarda durmaları. Yeni dünyayı bizlerden çok daha iyi anlamaları.

Dünyayı anlıyorlar da, esas Türkiye'de olan biten bazı şeyleri anlayamıyorlar. Neden hâlâ ifade özgürlüğü gibi en temel hususlarda yeterince ilerleme kat edemediğimizi mesela. Neden birbirimizin etnik/dinsel/siyasi farklılıklarına saygı gösterip, hep beraber uyumla yaşamayı öğrenmek yerine hâlâ 12 Eylül döneminden kalma zihniyetlerle konuştuğumuzu da kavrayamıyorlar.

Bahsettiğim bu Türklerin Polonyalı, Çinli, İspanyol arkadaşları, dostları ya da sevgilileri veya eşleri var. Hayata dar bir aşırı-milliyetçilik ekseninden bakmıyorlar. Bizlerden çok daha kozmopolit ve demokratik ortamlarda uzun seneler geçirmişler. Kısır çekişmeleri, hamasi söylemleri tasvip etmiyorlar. Çokkültürlülüğe, çoksesliliğe derinden inanıyorlar. Son derece negatif olan "Zenci" kelimesini kullanmıyor, "Siyah" diyorlar. Kimseyi kırmıyor, hiçbir kimliğe tepeden bakmıyorlar. Keza mesela bir eşcinsel ile tanıştıklarında önyargılı düşünce kalıplarıyla yaklaşmıyorlar. İnsana birey olarak, bireye de her şeyden evvel ve her şeyden öte insan olarak bakıyorlar.

Sizi bilmem ama ben bu gençlerden etkileniyorum, öğreniyorum. Onların varlıklarını ve vizyonlarını umut verici buluyorum. Ve Türkiye'de nice söz ve makam ve otorite sahibi insanın yurtdışındaki Türklerin vizyonlarından tamamen bihaber olduklarını görüyorum. Biz bu gençlerin o kadar gerisinde kaldık ki. Korkularımız, polemiklerimiz, tartışmalarımız eskidi artık. Halbuki onlar sürekli kendini yenileyen başka bir pencereden bakıyorlar her şeye. Hümanist, barışçıl, yeri geldiğinde kendine de gülebilen, zeki ama şefkatli. Türkiye ne yazık ki çok derin beyin göçleri yaşadı geçmişte, hâlâ da yaşıyor. Kendi yeteneklerini hor gördükçe, yeterince takdir edemedikçe tıptan teknolojiye, akademiden iş dünyasına daha çok insanını göçebe ya da göçmen yapmaya, arafta tutmaya devam edecek.

***

Elimde bavul, bir havaalanının koltuğunda oturmuş, esniyorum. Uyku düzenim karışmış gene. Ülkeler, kıtalar arası saat farkları yüzünden gündüz gece birbirine geçmiş. Spagetti yumağı gibi zihnim, bir makarna telini bir diğerinden ayıramıyorum. Gün ortasında uyuyup, geceleri cin gibi dolanıyorum. Londra-İstanbul arası iki saat fark var, İstanbul-New

York arası yedi saat. Telefonumun saati İstanbul'a ayarlı, bilgisayarımın saati ise Londra'ya; bu arada hiç kullanmadığım kol saatim New York zamanında seyrediyor. Üç zaman diliminde birden yaşıyorum. Gene yollardayım. Gene kendimden kaçıyor, kendimi arıyorum.

Geçenlerde bir gazeteci sordu: "Sizin için önemli olan tüm şehirler içinde en çok hangisini seviyorsunuz?"

"İstanbul tabii ki" dedim.

"Peki nerede kendinizi en çok evinizde hissediyorsunuz?"

Bir an için "yollarda" demek geldi içimden. Ben en çok yollarda kendimi evimde hissediyorum galiba, ta çocukluğumdan beri bu böyle. Tren istasyonlarında, havaalanlarında, otellerde... Bir arkadaşım var, ne zaman otelde kalması gerekse ruhu daralıyor; kendi evinden tablolar, eşyalar götürüyor otellere, sırf mekânı "ev" yapabilmek için. Sevmiyor otel odalarını. Bense ne çok seviyorum; özgür hissediyorum kendimi ama bir o kadar hüzünlü buluyorum bazen, örtük bir melankoli, dışarıdan bakınca kolay kolay anlaşılmayan.

Fransa'dan Türkiye'ye döndüğümüzde bebekmişim daha. Böylece ilk ülkeler arası yolculuğumu henüz kundakta yapmışım. Annem ile babam ayrılırken. O gün bugündür durulamadım bir türlü. Evliya Çelebi, güzel insan, güzel gönüllü, rüyasında şefaat dileyeceğine seyahat dilemiş, malum, o yüzden kendini yollarda bulmuş. Benimse doğduğum esnada hastanenin üzerinden leylek sürüsü geçmiş bence. Gözümü açar açmaz leyleği havada görmüşüm.

Belki de tüm seyahatler bir huzursuzluğun yansıması. Bir tutunamama hali. Bir yerimde bir kırıklık, bir arıza, kapanmayan bir yara, yalnızlık. Belki de bu yüzden ya da bu sayede daha iyi anlıyorum yurtdışındaki Türklerin ikilemlerini, meselelerini, araftaki ruh hallerini.

Devamlı arayış, devamlı varoluş halinde kimileri. Göçebe meşrep gezgin bezgin...

Bahçesiz Büyüyenler

Böylesine büyük çalkantılar ve gergin tartışmalar yaşanırken Türkiye'de ve dünyada, tutup da bitkilerden, çiçeklerden, yeşilden bahsetmek adeta imkânsız geliyor insana. Bir nevi lüks. Ama Yeryüzü Derneği'nin çalışmalarını basından takip ederken, kendi kendime sormadan edemedim: Burada güzel, anlamlı bir faaliyet var. Görülesi bir uğraş. Destek vermek gerekmez mi? Demek bunca kaosun içinde bile sessiz ve sakince, kimseyle polemiğe girmeden, zamanın ruhuna kapılmadan, içe dönük ve yarınları düşünerek didinen; bahçeler, bostanlar, fidanlıklar yaratan insanlar var. Takdir etmek gerekmez mi?

***

Çocukluğumun Ankarası. Tipik Yenimahalle evleri, minik minik, yan yana. Orta gelirli aileler, birbirinin her halini bilen komşular, evlerden yayılan patlıcan kızartması, sigaraböreği kokuları, bahçelerde kiraz ve kayısı ve armut ağaçları. Toplar, oturur afiyetle yerdik. "Acaba hormonlu mu bunlar?" gibi kaygılarımız yoktu doğrusu.

Anneannem reçel yapardı bu meyvelerden. Biz ev sahibi değil kiracı olduğumuz için, öncelikle ev sahibimizin toplayıp bir sepet de bize vermesini beklerdik. Anneannem okunmuş gül dikenleri saplardı elmalara. Siğilleri iyileştirirdi. O günlerden bu güne meyveler ve meyve ağaçları ile kaplı bir çocukluktur hatırladığım. Demek ki, bir dönemliğine de olsa bahçeli bir evde büyüyen şanslı kuşaklardanım. Sonra hızla apartman daireleri kapladı her tarafımızı. Topraktan giderek uzaklaştık; bir ağaç türünü bir başka ağaç türünden ayırt edemez olduk. Ama o kadar doluydu ki zihnimiz, gündemi-

miz, ne önemi vardı iki fidanın, üç bitkinin? Önemsemedik bile. Bu arada yediğimiz meyveler, sebzeler, süt ürünleri giderek kimyasal maddelerle dolmaya başladı. Beş kuruş daha fazla kâr edebilmek için üreticiler her şeye hormon katmaya başladılar. Denetimsiz, standartların tam oturmadığı bir ortamda kimyasallar aldı başını yürüdü. Gene önemsemedik. Vücutlarımızı beslediğimiz kadar zehirledik de. Senebesene. Kanser vakaları katlanarak arttı. Onu da anlayamadık.

Topraktan kopmamız ile sağlığımızın bozulması arasındaki bağlantıyı göremedik.

Nice sonra üniversitede, bilhassa idealist solcu çevrelerde, sık sık duyduğum bir söz, gördüğüm bir refleks vardı. "Kadın hakları" dediğinizde, "Evvela daha acil meseleler var. Onlar hallolsun. Ona da gelir sıra" denirdi. Keza eşcinsel hakları dediğinizde, konu manidar bir tebessümle geçiştirilirdi. "Böyle tali şeyleri konuşmanın sırası değil daha." Aile içi şiddet, cinslere fırsat eşitliği, pozitif ayrımcılık... Hepsi rafa kaldırılırdı. Önce bir demokrasi gelsin, şu sistem değişsin, ondan sonra o tür konular da ele alınabilirdi. "Henüz vakti gelmemiş meseleler" listesinde ta en sonlarda yer alan bir konu vardı: Çevrecilik. "Oooo, daha ona gelene kadar...." Çevrecilik dediğinizde ya boş ya eleştirel bakışlara maruz kalırdınız. "İnsanların aç olduğu, işsizliğin arttığı, faili meçhul cinayetlerin yaşandığı yerde çevrecilik konuşabilir misin?"

Bir dönem belki ben de böyle düşündüm. Ama sonra baktım, erteleye erteleye bir yere varılmıyor. Memleketin gündemi malum alabildiğine hızlı, yoğun ve hiç mi hiç bitmiyor. Olan, ertelenen meselelere oluyor bu arada. Onlara sıra bir türlü gelmiyor.

Oysa her şeyi beraber konuşabiliriz. Aynı anda, ertelemeden. Pekâlâ mümkün, neden olmasın? İnsan yüreği birden fazla durumu hissedebilecek kadar engin, insan aklı aynı anda birden fazla konuda analiz yapabilecek kadar karmaşık iken neden erteleyelim? Öyleyse şimdi, şu yaşadığımız tabloda, basın özgürlüğünü, daha tam rayına oturamayan demokrasimizi, anadilde eğitim hakkını, ifade özgürlüğünü ve pek çok kallavi konuyu konuşurken bir yandan da "İhmal Ettiğimiz Başlıklar Listesi"nden çekip alalım çevre duyarlılığını. Onu da koyalım üst sıralara.

***

Basında Ceyda Saygıner Falay'ın açıklamalarını okurken bunları düşündüm. Yeryüzü Derneği ismini daha önce duymamıştım. "Ekolojik yaşamı desteklemek ve çevre sorunları ile mücadele etmek için kurulduk. Yeryüzü Derneği; iklim değişikliği, çevre politikaları, ekolojik yaşam ve yenilenebilir enerji konularında farkındalık yaratma ve kapasite geliştirme faaliyetleri düzenliyor" diyor. Nasıl başladıklarını ise şöyle dile getiriyor: "'Acaba yapabilir miyiz?' diye düşündük, 'istemek yapmanın yarısıdır' diyerek yola koyulduk." Güzel!

Henüz yeterince kişi bu konuda bilinçlenmiş olmasa da, nüfusun giderek kentlerde yoğunlaştığı Türkiye'nin geleceğinde bu tür girişimler hayati kıymet taşıyor. "Kent Bahçeleri projesiyle; evsel atıklardan kompost üretilip, gübre olarak bahçeye verilmesiyle, şehir çöplüklerinin vaktinden erken dolması önlenecek. Kente gelen sebze meyve miktarı azaldığı için, daha fazla fosil yakıtın kullanılmasına gerek kalmayacak. İklim değişikliğinin önlenmesine katkı sağlanacak, çocuklar ve gençler toprakla tanışacak, hasat nedir öğrenecek..."

Doğrusu, benim bu projeyi önemsememin bir başka sebebi var. Toprakla uğraşan, bir bitkiyi sabırla, özenle yetiştirmeyi öğrenen insanın yüreğinin de yumuşayacağına inanıyorum. Ruhumuza da iyi gelecek.

Ne çok kadın biliyorum, çocuklarını yetiştirdikten sonra ruhsal bir boşluğa yuvarlanan, kendilerini zamana karşı ye-

nik ve ezik hisseden, günlerini yeterince üretken geçireme-
yen. Keza çok erkek görüyorum ömrünü kahve köşelerinde
yahut eski arkadaşlarla çene çalarak geçiren, bir tekerrür
çemberinde ha bire. Hani hep kitap okumaya vakit bulama-
maktan şikâyet ederiz ya. Doğru değildir halbuki. Vakit dedi-
ğin yaratılır, yeter ki istek olsun.

Şimdi, vaktimizi ve emeğimizi anlamlı bir şekilde değerlen-
dirmek için yeni bir fırsat var önümüzde. Kent bahçeleri ya-
ratmak. Ufacık alanlarda. Akıntıya karşı kürek çekerek. Bal-
kon bostanları, arka bahçe fidanlıkları, saksıda yeşeren ha-
yaller. Kendi meyve sebzesini üreten aileler. Hormonsuz, kim-
yasal maddesiz, zehirsiz. Neden olmasın? İstedikten sonra.

Düzene Meydan Okuyan
Bir Kadın Şair

Sene 1935. Bir kız çocuğu geldi dünyaya, Tahran'da. Yedi çocuklu bir ailede büyüdü ama kardeşlerinden de yaşıtlarından da farklıydı. Sorgulayan gözleri, büyümüş de küçülmüş sözleri ve dinmeyen merak duygusuyla kabına sığamayan taşkın sular gibiydi. Kitap okumaya, resim yapmaya, dünyayı anlamaya, her şeyden çok sanata düşkündü. Büyüdü Furuğ Ferruhzad oldu.

O zamanki İran bugünkü rejimden farklıydı elbet ama benzer şekilde kapalı bir toplumdu. Çok erken evlendi Furuğ. Henüz on altı yaşındaydı. Kocası mürekkep yalamış, kalem erbabı, entelektüel bir adamdı. Birlikte kitaplarla doldurdular evlerini. Bir sene sonra bir oğulları oldu. İsmini Kamyar koydular. Ne var ki çok sürmedi bu evlilik. İki sene sonra geçimsizlik sebebiyle ayrıldılar.

Furuğ'un o dönemki İran'da yazıp yayımladığı inanılmaz bir şiir var. Günahlar ve günahkârlar üzerine. İlk dizesi şöyle: "Ben bir günah işledim." Bu şiirde genç kadın bir başka erkeğe olan ilgisinden, aşkından ve onunla yaşadığı gizli ilişkiden bahseder. Bir anlamda kendini ifşa eder, özeleştiride bulunur. Şiir yayımlanır yayımlanmaz yer yerinden oynar. Hem toplumun farklı kesimlerinden inanılmaz ağır ve hakaretamiz eleştirilere maruz kalır hem de kendi evinden, bilhassa kaynanasından. Oğlunun vesayetini kaybeder, çocuğunu görmesi bile yasak edilir. Kirli, namussuz bir kadın gözüyle bakar ona toplum. Ne gariptir ki Furuğ en çok da entelektüel kesim tarafından dışlanır. 1955 senesinde ilk şiir kitabı yayımlanır. Yüreğinden, benliğinden, derinden gelen kelimelerle yazar Furuğ. Her dizesi bir feryattır.

Olabildiğine ataerkil bir toplumda genç ve dul bir kadın

olarak yaşamak zordur. Hele onun gibi kategorilere sığmayan, özgürlüğüne düşkün biri için. Kendi ayakları üzerinde durmakta kararlıdır. Yazmaya devam eder. Peşpeşe iki kitap daha yayımlar. Birinin ismi *Duvar*, ötekinin ismi ise *İsyan*. Yazı dışında sanatın diğer alanlarına da ilgisi ve kabiliyeti vardır, bilhassa resim ve sinema. 1962 senesinde bir belgesel çeker. Konu: İran'da cüzamlı olmak! O günkü toplumda bir cüzamlı olarak yaşamanın ne olduğunu anlatır kamerasıyla. İnanılmaz etkileyici bir eser çıkar ortaya. Üst üste uluslararası ödüller alır. İşin ilginç yanı Furuğ bu belgeseli çekerken hakikaten gidip cüzamlılarla yaşamış, onlarla beraber kalmıştır. Üstelik cüzam hastalığının bulaşıcı olduğuna inanıldığı bir dönemde. Derken çekimler esnasında bir oğlan çocuğu dikkatini çeker. Hem annesi hem babası cüzamlı olan tatlı, iyi huylu bu oğlanın adı Hüseyin'dir. Furuğ'un yüreği sızlar. Çocuğu evlat edinmeye karar verir. Ailesi de onaylar. Furuğ oğlanı alır, evine getirir, yedirir, okutur, büyütür. Bir deli kadındır Furuğ. Yüreği dipsizdir, hayalleri hudutsuz. Ona "günahkâr" diyen insanların anlayamayacağı bir başka boyuttadır.

1963 senesinde bir kitap daha yayımlar. İsmi *Bir Başka Doğum*. İran şiirinin en önemli eserlerinden biri kabul edilecektir. Avrupa'da bir İranlı, İran'da bir Avrupalı olarak yaşar. Yaratıcıdır, yalnızdır. Oğullarını ihmal eder ama çok da sever onları; erkeklerle ilişkileri hep inişli çıkışlıdır, hep hayal kırıklığı. Kendi kendini tüketen bir fitil gibidir. Bir de maalesef hız düşkünüdür Furuğ, en sevdiği şey arabasına atlayıp tam gaz son sürat yol almaktır. İçinde bulunduğu toplumu ağır aksak, kapalı ve tekdüze bulur, hiçbir şey yetmez ona. Yetinmeyi bilmez. Hep daha çok hız yapmak ister. Hep daha öteye varmak. Sonunda bir gün gene yolda hız yaparken bir trafik kazasında hayatını yitirir.

İran'da şeriat rejimi Furuğ'un tüm kitaplarını yasaklar. Ama onu merak eden, anlamak isteyenlere araştırmacı ve profesör Farzaneh Milani'nin çalışmalarına bakmalarını hararetle tavsiye ederim. İran asıllı Amerikalı kadın akademisyen inanılmaz bir emek, disiplin ve sevgiyle Furuğ hakkında yazmakta. Kitabının ismi *Veils and Words* (Peçeler ve Kelimeler).

Genç kızlarımızdan hep mektuplar alıyorum. Haklı şikâyetleri var. Bulundukları ortama ya da çektikleri zorluklara dair. Eğer bu yazıyı okuyan, okuyup da yazar olmak, şair olmak, yönetmen olmak, müzisyen olmak, sanatçı olmak isteyen, lakin çevrenin baskısından ya da insanların hoşgörüsüzlüğünden dolayı morali bozulan genç kızlar varsa, ufacık bir şeyi hatırlatmak isterim. Furuğ nam bu delifişek kadın bütün bunları 1940'ların, 1950'lerin İranı'nda yapabildiyse, çıkıp da "Ben şairim" diyebildiyse, sözünün arkasında durabildiyse, bugünün Türkiyesi'nde katbekat daha fazlasını başarabilir kadınlar. Birbirimizin hayatlarından, hikâyelerinden, sanatlarından, sevaplarından ve bazen de hatalarından dersler çıkararak, feyiz alarak ilerleriz.

Entelektüel Kadın Kıskanır mı?

Buda'nın temel öğretilerinden biridir, "Başkalarını kıskanma, onlarla uğraşma" der ve ekler ardından: "Ha bire kıskançlık duyan insan iç huzurundan yoksun bir insandır." Uzaktan bakarız kimilerine, zannederiz ki onların her şeyi var. Şöhret, başarı, saygınlık, mutluluk... "Daha ne istiyor olabilirler ki?" deriz kendi kendimize. İzleriz kısık ve sabit gözlerle. Kıskançlık cehaletten beslenir halbuki, düşünmeyiz. Bu bir ağılı ağaç ise beynimizde yeşeren, toprağı bilgisizlik olsa gerek. Zira ne kadar az şey biliyor olursak öteki insan hakkında o kadar rahat ve pervasızca kıskanırız. Belki de minicik bir kelime ayrımı yapmak lazım. Gıpta etmek, özenmek, belli bir dozda kalmak kaydıyla daha insanca, daha masumca duygular; ama kıskançlık altını oyan bir asit teknesi gibi, girdiği bünyeyi zedelemeden çıkmıyor işte.

Simone de Beauvoir, Fransız ve dünya düşünce tarihinin en çok iz bırakan isimlerinden, hatta kadın entelektüeller sıralamasında bir numara; tahtını kolay kolay bırakacağa benzemiyor, aradan geçen bunca zaman sonra bile. Onun gibi iki dudağının arasından çıkan, kaleminden damlayan her kelimenin ciddiye alınmasına alışkın, her yerde itibar gören bir kadın kimi niye kıskansın ki diye düşünebilirsiniz. Oysa...

Kazın ayağı öyle değil. İşte Simone de Beauvoir'ın deli gibi kıskandığı kadının hikâyesi:

Tesadüf bu ya, onun da ismi Simone idi, tesadüflerin olmadığı şu hayatta. Simone Weil, Yahudi bir ailenin evladı olarak dünyaya geldi. Ağabeyi de, kendisi de küçük yaştan itibaren kitaplar arasında büyüdüler, eğitimlerine büyük önem verildi. Annesi babası dinden de, dindarlardan da hazzetmezdi. Katı laik bir ortamda büyüdü. Küçük yaştan itibaren "dâhi" gözüyle bakıldı bu kız çocuğuna. Yetenekli ve zeki olduğu kadar girişkendi.

12 yaşında Yunancaya gayet hâkim; matematik, geometri ve fizikte yaşıtlarından katbekat öndeydi. 1928 senesinde École Normale Supérieure sınavlarında birinci oldu. Aynı sınavda ikinci olan kişi gene bir kız öğrenci idi: Simone de Beauvoir. Böyle başladı iki Simone arasındaki sevgi-nefret ilişkisi. Simone Weil ufak tefek, çelimsiz, ileri derecede miyop bir kadındı. Ancak onun doğal ve rahat tavrı, güzelleşmek ya da süslenmek için en ufak bir çaba göstermiyor oluşu erkeklere cazip geliyordu. İkinci Simone, daha güzel olduğu halde, kendisini onun gölgesinde hissediyordu.

Üniversite yılları çabuk geçti; her iki Simone da aktif biçimde öğrenci eylemlerinde yer aldı, her ikisi de emekçi ve azınlık haklarıyla yakından ilgileniyor, dünyayı değiştirmeyi arzuluyordu. Ancak okul biter bitmez bir yol ayrımı çıktı karşılarına. Simone de Beauvoir "entelektüel" olmayı önemserken, Simone Weil toplumsal adaletsizliklerin çözümünün zihinsel faaliyetlerde değil, tam tersine kol emeğinin kıymetinin bilinmesinde yattığına inanıyordu.

Kısacası, aydınların fabrikalarda çalışmasından yanaydı. Ve bu formülü evvela kendinde deneyecek kadar da cesur. Bir çelik fabrikasında iş buldu. Eylemler örgütledi, grevlere katıldı. "Kızıl Bakire" lakabını kazandı.

Seçkin, zengin bir aileden gelen bu kadın neden, nasıl işçi olmaya zorladı kendini? Üstelik beceremediği halde. O sene peş peşe üç fabrikadan atıldı. Yılmadı. Filozof, aktivist, emekçi, mistik. Ne tam anlamıyla solun kalıplarına uydu, ne sağın. Ne Marksistlerin arasında rahat edebildi, ne liberallerin. Tam bir çelişkiler yumağıydı. Ama hayranları da katlanarak arttı. Simone de Beauvoir "kitabi bilgiler"le konuşmakla eleştirilirken, o hayatın bire bir içinde olmakla övgü topluyordu.

Ne var ki ilk başlardaki romantizmini yitirmeye başladı. Fabrika şeridinde bütün gün çalışmanın insanı tutkularından uzaklaştırdığını gözlemledi. Kendini sorgular oldu. "Devrim" inancını terk etti. Devrim ideali, insanları ani ve katı ve kati bir değişiklik peşinde koşmaya yöneltiyordu. Devrimci dostları bu eleştirileri duymaktan hoşlanmadılar. Simone Weil giderek yalnız kaldı. İşte bu dönemde din ile ilişkisini yeniden gözden geçirdi. Azizlerin hayatları, Hint felsefesi... O da tıpkı Tolstoy gibi fiziksel yorgunluğun manevi olgunlukla el ele gittiğine inanıyordu. Doğru dürüst yemek yemez oldu, ruhunu terbiye etmek için açlığa talim etti. Öldüğünde otuz dört yaşındaydı.

Aradan seneler geçti. Bütün bu zaman zarfında elit çevrelerden ayrılmayan Simone de Beauvoir, ateistliğiyle namdar bu kadın gün geldi hemcinsi ve adaşını nasıl kıskandığını itiraf etti. Nesine imrendiğini sorduklarında ise tek bir kelimeyle cevap verecekti: "Yüreğine."

Bense merakla okurum bu iki kadını; ne birini yakın bulurum kendime, ne berikini. Beni esas cezbeden onların hikâyesini yazmak, onlarınki gibi hikâyeleri...

Siyasi Bölünmelerimiz, Kişisel Hikâyelerimiz

Thomas Mann dünya edebiyat tarihinin en meşhur dâhilerindendi. Yirmili yaşlarının ortalarından itibaren kalemiyle, özgün üslubuyla dikkatleri üzerine çekmişti. 1912 senesinde Almanya'nın önde gelen yazarlarından biri olarak kabul ediliyordu artık. *Venedik'te Ölüm*'ü yeni yayımlamış, hayli ses getirmişti. Onun edebiyatına dair çok şey yazılıp çizildi bugüne kadar. Ama hakkında pek bilinmeyen bir husus var: Ağabeyini bir ömür boyu deliler gibi kıskandığı. Belki diyeceksiniz ki, "Ne önemi var bu ayrıntının?" Ama malum, şeytan dediğin, ayrıntıda gizlidir. Thomas Mann'ın hayatında ağabeyine beslediği gıpta o kadar başat bir rol oynadı ki yazarın eserlerini, hatta bence politik fikirlerini etkiledi, şekillendirdi.

Ondan dört yaş büyüktü ağabeyi Heinrich Mann. O da bir yazar ve fikir adamıydı. Karizmatikti. Aktivistti. Toplumsal sorunlara duyarlı bir liberaldi. Tanıyanlar onu "âlicenap" biri olarak anlatıyor. Öyle ya da böyle, kardeşler arasında hem derin bir muhalefet hem de bitimsiz bir muhabbet vardı. İnişli çıkışlı bir yokuştu onlarınki. Thomas Mann evlendiğinde düğününe ağabeyini davet etmeyecekti.

1931'de ağabey Heinrich, Prusya Sanatlar Akademisi'nin edebiyat bölümünün başkanlığına getirildi. Kendisi için düzenlenen ödül töreninde onu takdim eden konuşmacının ne hikmetse dili sürçtü. "İşte şimdi karşınızda Heinrich Mann" diyeceği yerde "İşte şimdi karşınızda Thomas Mann" deyiverdi, kardeşler arasındaki o gizli rekabeti alevlendirmek istercesine.

Her ikisinin de hayatında intihar ve yıkım ve kriz süreklilik arz eden temalardı. Kız kardeşleri Carla sık sık depresyona giren duygusal bir kadındı; uyuşturucu bağımlısıydı. Genç yaşta

intihar etti. Thomas Mann onun ani ölümü hakkında söylene-
bilecek en kuru yorumlardan birini yaptı: "Carla'nın bu yaptı-
ğı aileye ihanettir." Seneler sonra Heinrich'in çok sevdiği (ve
Thomas'ın asla tasvip etmediği) karısı da intihar edecekti.
Thomas ve Heinrich kardeşlerin o kadar çok ortak noktası
ve benzer hüznü vardı ki. Belki de bu yüzden birbirlerine ta-
hammül edemeyişleri. Birbirlerinin aynasında kendilerini
görmekten kaçışları. Naziler Heinrich Mann'ın kitaplarını
toplatıp yaktıklarında Thomas Mann duruma pek içerledi.
Neden kendi kitaplarını değil de ağabeyininkileri yakmaya
layık görmüşlerdi acaba? Yoksa Heinrich kendisinden daha
mı önemliydi?!! Thomas Mann ne kadar başarılı olsa da bir
türlü tatmin olmadı; etraftan saygınlık kazansa da ağabeyi-
ne yaranamamak onu hep yaraladı.

Üstelik iki kardeş arasında ciddi ideolojik bölünmeler var-
dı. Thomas Mann Alman milliyetçiliğine sempati duyarken,
ağabeyi Heinrich aşırı milliyetçiliği hep eleştirdi, bunun yük-
selen tehlikelerine dikkat çekti. Weimar Dönemi'nin en
önemli muhalif seslerinden biri oldu. Bazen Thomas Mann'ın
yazılarını okurken sırf ağabeyine inat olsun diye milliyetçili-
ğe meylettiğini düşünmeden edemiyorum. Peki ya bu durum
sadece onlara mahsus değilse? Kişisel hikâyelerimizden ve
hezimetlerimizden ötürü politik seçimler yapmak, ya zanne-
dilenden daha yaygın bir hal ise?

***

Türkiye'de nicedir ardı arkası kesilmeyen gerilimler, iniş
çıkışlar yaşıyoruz. Derin ideolojik bölünmelerden bahsediyor,
kısır polemikler içinde kutuplaşmalar üretiyoruz. Ama bazen
tüm bu toz duman altında, duygusal ve şahsi konular var gi-
bi geliyor bana. Bunca makro söylemin ardında minik, mini-
cik ayrıntılar...

Bir insanın nasıl bir liberal yahut muhafazakâr olduğunu liberalizm ya da muhafazakârlık belirlemez. O insanın kişiliği belirler. Keza nasıl bir solcu ya da sağcı olduğunu da. Otoriteperver birinin solculuğu da gayet otoriter ve köşeli olur, sağcılığı da. Aslında siyasi çizgilerimizden ziyade, son tahlilde karakterlerimizdir bize ve etrafımıza ve hayatlarımıza damgasını vuran.

O kadar susamışız ki huzura, dinginliğe, bir günümüzü de polemiksiz, tartışmasız geçirmeye. O kadar ihtiyacımız var ki toplumsal barışa ve ahenge. Nedendir hep krizlerle yaşamamız bu canım memlekette? "Sürekli devrim" teorisi vardı bir zamanlar. Bizimki de bir nevi "sürekli kriz hali" mi? Bir yanıyla alışmışız, adeta şerbetlenmişiz gerilimlere, çekişmelere. Öte yandan yoruluyor, yıpranıyor, tükeniyoruz azar azar. Birbirimizin enerjisini törpülüyoruz farkında olmadan. Ve bazen, o kallavi meselelerin, makro temaların ardında kendi kişisel hikâyelerimizin ve yanlış anlamalarımızın yattığını unutuveriyoruz. Tıpkı ortak acılarımız ve arayışlarımız olduğunu ve esasen kardeş olduğumuzu unuttuğumuz gibi. Thomas ve Heinrich Mann gibi...

O Senin Kardeşin...

Tek çocuk olarak büyüdüğüm için belki de, kardeş hikâyeleri oldum olası şaşırtır, büyüler beni. Benzer genleri taşıyan, aynı çatı altında yetişen insanlar arasındaki o muazzam sevgi ve düşkünlük, bir o kadar dinmeyen kıskançlık ve rekabet, uzun seneler geçse de değişmeyen, alabildiğine karmaşık ve derin bir bağ...

Geçmiş, zaman içinde aşınıp kabarmış, artık bir türlü kapanmayan bir pencere gibi. Örtük tutmaya çalışırım; başarırım da çoğunlukla ama işte bazen güçlü bir rüzgâr eser, ardına kadar açılıverir pencere kendiliğinden, içeri dolar yel; cereyanda kalırım, üşür ruhum. Burnumu çeke çeke örtmeye çabalarım pencereyi, yeniden. Kapalı kalsın ki üşümeyeyim. Kapalı kalsın ki düşünmeyeyim. Uzun seneler boyunca hiç sevmediğim iki sual vardı. Birincisi: "Nerelisin?" "Strasbourg'da doğdum. Ankara'da anneannemle kaldım ama sonra gittim Madrid'de okudum. Anne tarafım Kastamonulu ve Sivaslı ise de ben oralarda hiç yaşamadım. Baba tarafı İzmir'de ama orayı da pek bilmem. İstanbul, Amman, Köln, Boston, Michigan, Arizona, Londra, gittim geldim... Gider gelirim..."

Cevap vermekte hep zorlandığım ikinci soru: "Kardeşiniz var mı?" "Şey... Var ama yok. Yok ama var. Galiba. Aslında. Yani... Tek çocuğum ben. Tam olarak öyle değilim ama öyle büyüdüm işte..." İki erkek kardeşim var halbuki. Büyüğü ile ben yirmili yaşlarımın ortalarındayken tesadüfen karşılaştık İstanbul'da bir üniversitenin kantininde. Ben onu tanımadım, o beni tanımış ama. Aynı mekânda kendimizi bulunca merhabalaştık haliyle. İnsan ne der kendi kardeşine, "Tanıştığımıza memnun oldum..." El sıkıştık gayet medeni. Aramızda senelerin, sessizliklerin kolay kolay kapanmayan mesafesi.

Diğer kardeşim ise İzmir'de imza günüme geldi. *Bit Palas*'ı tanıtıyor olmalıyım o günlerde. Kuyrukta bekleyenler arasında bir genç oğlan gözüme ilişti; bir an garip bir hisse kapıldım, alacakaranlık kuşağına girmek gibi. Aynada kendi suretime bakıyorum sandım. Kardeşimdi. İmzalamam için önüme bir kitap koyduğunda ne yazacağımı bilemedim. İnsan hiç görmediği kardeşine nasıl kitap imzalar? "Hayat boyu mutluluklar ve daha sık karşılaşmak dileğiyle..."

Velhasıl bunca zaman bana yabancı bir dünya idi kardeşler âlemi, bilmediğim ve hep merak ettiğim.

"Cinsiyet ayrımcılığına karşıyım" dedim Eyüp'e seneler evvel. "Çocukları tamamen eşit ve hatta aynı büyütmekten yanayım." "Süper fikir ama nasıl olacak o?" dedi fazla ciddiye almadığını ele veren bir tonlamayla. "Bak şimdi. Kıza tekerlekli oyuncak, komando kıyafeti, yeşil su tabancası; oğlana parlak çay seti ve çiçekli gömlekler almayı düşünüyorum. Ufak ama sembolik adımlar bunlar. Böyle yapa yapa kültürel şablonları aşacağız azimle."

"Hımm" dedi Eyüp. Dene de gör gününü dercesine. Yılmadım tabii. İlk günden itibaren ikisine de benzer oyuncaklar verdim, zerrece ayrım yapmadan. Birine kaplan-aslan-maymun çıkartması sunulduysa, aynısı ötekine de. Renklerden yana çok fazla seçenek yok doğrusu. Çocuk kıyafetleri satan herhangi bir mağazaya göz atın. Kızların giysilerine bariz şekilde pembeler beyazlar hâkim, oğlanların tişörtleri, şortları gayet ciddi, lacivert, kahve yahut haki. Olsun, ben elden geldiğince karıştırdım, ikisine de moru sevdirmeye çalıştım. Alternatif olsun diye.

Bugün geldiğimiz noktada itiraf ediyorum ki kısmen pes etmiş durumdayım. Kızımın en sevdiği renk cırtlak pembe. Bana inat ve bana rağmen tırnaklarını boyamayı seviyor, oğlum top peşinde koşup, arabalarla oynuyor; verdiğim Barbie'lere elini bile sürmedi. Ne zaman şekillendi bu kalıplar? Kendi kendime homurdanıyorum ha bire. "Bakıyorum havlu

atmışsın" diyor Eyüp tebessümle. "Genetik yahu..."

Kabul, işin bir kısmı genetik. Ama en az bir o kadarı kültürel. Ve belki de son tahlilde sadece cinsiyet ayrımı değil mesele, bir de karakter farkları var. Her insan dünyaya kendi özellikleriyle, kabiliyet ve renkleriyle geliyor. Bakıyor, hayret ediyorum aynı ortamda büyüyen bireylerin nasıl olup da birbirlerinden bu kadar farklı olduklarına, olabildiklerine. Diyorum ya, bir muammadır benim için kardeşler arası ilişkiler, oku oku çözemediğim...

Yazarlarını Seven Şehirler

İskoçya küçük bir ülke. Ama çok önemli beyinler yetiştirmiş. Bilimde, felsefede, sanatta ve edebiyatta. Edinburgh'a akın akın turist geliyor dünyanın her yerinden. Ve bu turistleri gezdiren hemen her rehberin söylediği bir söz var: "Burası yazarlar ve şairler şehridir. İnsana ilham verir."

Nitekim girdiğimiz her sokakta, durduğumuz nice köşe başında, girdiğimiz mekânlarda illaki bir yazarın, düşünürün ya da şairin izlerine rastlıyoruz. Mesela eski, taş bir evin üzerinde "Robert Burns şehrimize ilk geldiğinde bu evde yaşadı ve yazdı" deniyor. 1759-96 seneleri arasında yaşayan Robert Burns, bir anlamda ulusal kahraman. Herkes onun şiirlerinden alıntılar yapıyor, hayatını biliyor.

Ya da mesela bir lokantaya giriyorsunuz. Orası filanca yazarın yapıtlarına adanmış. Öğle yemeğinizi yerken onun hayatından bölümler okuyor, eserlerine dair bilgiler işitiyorsunuz. Her yerde sürekli edebiyat, sanat ve kültür konuşuluyor. Zira İskoçlar bir noktanın farkındalar. İçinde yaşadığımız dünyada, bu yeni yüzyılda, ülkeler en büyük farkı KÜLTÜR ile atacaklar. Ne bilim, ne ekonomi, ne politika, ne ideolojik çekişmeler. Bu, kültürün muazzam önem kazandığı ve temel kriter haline geldiği bir dönem. Toplumlar, kültürel değerler ve değerlendirmeler üzerinden eleştiriliyor ya da övülüyor artık.

Dün olduğu gibi bugün de yazarlarını seviyor ve sahipleniyor Edinburgh. "Harry Potter" serilerini yazan J. K. Rowling'in adı sık sık geçiyor. Onun ara sıra gelip kaldığı otel, zaman zaman yazdığı kafeler, uğradığı lokantalar, ders verdiği sınıf... Her yerde bu tür minik ama renkli ayrıntıları yansıtan nişaneler, tabelalar var.

Gezi esnasında bir dostumun şöyle dediğini işitiyorum. "Bravo! Meğer ne çok sanatçı çıkarmış Edinburgh!"

Doğru. Ama gelin beraber düşünelim. Osmanlı'dan bu yana ne çok yazar ve şair ve düşünür ve hattat ve meddah ve oyuncu ve gazeteci ve karikatürist ve ressam çıkardı şehr-i şehir İstanbul. Gani gani. Çıkardı ama nerede bugün onların izleri? Hani nerede yaşadıkları evleri, ders verdikleri fakülteleri, yazı yazdıkları masaları, arşınladıkları parkları, ilham buldukları noktaları gösteren tabelalar? Hani nerede bir şehrin tarihindeki gümüşi ayak izleri? Kültür, birikim işidir. Kat üstüne kat koyarak inşa edilir. Öyleyse kültür, vefa işidir. Bilmek, sevmek, sahiplenmek, anlamak ve ilerletmek! Daha ötesini hedeflemek ancak böyle mümkün.

Bu bir açık mektuptur. İstanbul Büyükşehir Belediyesi'ne hitaben yazılmış. Niçin olmasın? Semtlerden, sokaklardan, yerel alanlardan başlayan bir kampanya neden yapılamasın? Herkes, her okul mesela, kendi semtinde yaşamış eski zaman sanatçılarının izlerini bulsa, güzel olmaz mı?

Hüseyin Rahmi Gürpınar'ın, Yahya Kemal Beyatlı'nın, Halide Edip Adıvar'ın, Ahmet Hamdi Tanpınar'ın ve daha nice nice yazar, şair, ressam ve düşünürümüzün isimlerini neden şehre serpiştirmiyoruz? Yaşadıkları evlere tabelalar koymak; sokaklara heykellerini dikmek; isimlerini mekânlara vermek; oturdukları, yazdıkları ya da fikir alışverişinde bulundukları kafelerin izlerini sürmek... Hasılı kelam bir İSTANBUL EDEBİYAT HARİTASI çıkarmak, neden olmasın?

Ne zaman ki biz şehrimize gelen turistlere, "Bravo! Ne çok sanatçı çıkarmış bu İstanbul" dedirtebiliriz, yani hakikati gösterebiliriz, o zaman ancak, bizden evvel yaşamış o kıymetli kalemlere vefa borcumuzu ödemiş sayılabiliriz.

Vicdanın Mozaiği

Siyasi gündemin birbirinden yoğun konuları arasında sessiz sedasız bir haber düştü ajanslara. Amerikalı bir kadın turist, uzun seneler sonra Ayasofya'dan götürdüğü mozaikleri iade etti.

Eliza B. Chrystie bu parçaları almaya kalktığında sene 1956 idi. Kim bilir neler geçti o an aklından? Kendinde neden böyle bir hak gördü? Nasıl cesaret ve teşebbüs etti, yüreğine böyle büyük bir suçu nasıl izah etti? Ve bunca sene nasıl sustu, evinin bir köşesinde 1.500 senelik tarihi eserleri nasıl sakladı? Misafirlerine mi gösterdi bunları? Yakın çevresine mi? Şayet öyleyse, hiç mi soran çıkmadı, "Bunların sende ne işi var?" diye. Bir dostunuz size elinin altındaki çalıntı eserleri gösterse sessiz mi kalırsınız, yoksa karşı mı çıkarsınız?

Üzerinden Soğuk Savaş geçti. Duvarlar yıkıldı, eski düşmanlar dost oldu, yepyeni kutuplaşmalar doğdu, globalleşme ivme kazandı. Hem dünya tarihinde hem de Eliza'nın kendi kişisel seyrüseferinde nice gelişme yaşandı. Ve derken, bugün geldiğimiz noktada, bir kez daha İstanbul'u ziyaret etti yaşlı kadın. Bu kez çalmak üzere değil, geri vermek üzere.

Müzeye gitmeye cesaret edemediği için Kapalıçarşı'da alışveriş yaptığı bir kuyumcuya açtı içini. Gözyaşları arasında nedamet getirip, nicedir uyku uyuyamadığını, vicdan azabı çektiğini ve elindeki tüm eserleri ait oldukları yere vereceğini söyledi.

Üzerleri altın varak kaplama on bir tessera söz konusu olan. Beş adet taş, altı adet cam. Ayasofya Müzesi müdürünün dediği gibi "Görünüşte küçük ama manevi değerleri büyük."

Kuyumcu ise bu sürecin gizli kahramanı. "İki yaşlı bayan geldi, kolye beğendiler" diye anlatıyor: "Ertesi gün yaşlılardan Eliza Chrystie tekrar geldi. Önce fiyatta indirim istedi.

Pazarlık yaparken birden ağlamaya başladı. Ne olduğunu anlamaya çalışırken, 'Sizden farklı bir konuda yardım isteyeceğim' dedi. Ayasofya'dan elli beş yıl önce aldığı mozaik parçalarını çıkardı. 'Bunlar bana ait değil, yıllardır bunları taşımanın ıstırabını yaşıyorum. Sizden ricam, bunları gerçek sahibine iade etmeniz' dedi."

Doğrusu bir romancı olarak o an orada bulunmayı nasıl isterdim. Konuşan, Eliza'nın vicdanının sesiydi. Aradan geçen bunca zamana rağmen hiç susmayan o ses... Ayasofya mozaiklerine kavuştu. Lakin henüz yurda dönmeyen o kadar çok eserimiz var ki. İngiltere'de, Almanya'da, Amerika'da... İnsanın içi sızlıyor. Bunların büyük çoğunluğu bu işten para kazanmak isteyen kişilerce kaçırılmış. Ancak aralarında Eliza gibi bir anlık gafletten yahut "tuhaf bir idealizm"den mustarip olanlar da var.

Türkiye'nin bu eserlere zaten layıkıyla bakamayacağına, dolayısıyla yurtdışında daha iyi korunacaklarına inanan ve kültürel mirasın bütün insanlığın ortak malı olduğunu söyleyerek kendi suçlarını meşrulaştırmaya çalışan kesimler de mevcut. Bu tartışma ne bugüne has, ne de Türkiye kökenli eserlere. En son Irak'ta ve ardından Libya'da yaşanan korkunç kaosta tarihi eserlerin akıbetleri bir kez daha düştü uluslararası gündeme.

Tarihi eserler ait oldukları coğrafyada kalmalı, orada korunmalı. Louvre Müzesi'ndekiler başta olmak üzere bizden giden parçaların iadesini beklemek Türkiye'nin en doğal hakkı. Ama bunu yaparken kendimize de eleştirel bir gözle bakmak zorundayız.

Biz tarihsel mirasımıza ne kadar kıymet veriyoruz? Anıtlar, çini karolar, ibadethaneler, çeşmeler... Kadirşinaslık notumuz kırık. Tarih bilincimiz eksik. Haklı olarak kültürel eserlerimizin iadelerini isteyeceğiz. Ama bunu yaparken kendi söküklerimizi dikmeyi ihmal etmeden...

Merasimler ve Bizler

Akşama doğru gözle görülür bir telaş. Türkiye'den gelen ve hayli kalabalık olan kafilenin kaldığı otelin lobisinde gruplaşmalar, şakalaşmalar, bazı bazı "dertli iç çekişler" duyuluyor. "Beyaz eldiven giymek mecburi miydi yoksa?" diye panikle soruyor biri. "Aman üstadım, ben eldiven falan getirmedim" diye atılıyor beriki. "Yahu smokin hadi tamam, bir şekilde insan ayak uyduruyor da şu frak zor işmiş hakikaten" diye dert yanıyor bir başkası. Saklı ve tatlı bir heyecan var havada. Biraz da çocuksu galiba. Giyinip kuşanıp gezmeye gideceğini bilen çocuklar gibiyiz bir yanıyla. Koca koca adamlar, kadınlar olsak da.

"Erkeklerde frak, kadınlarda uzun beyaz elbise tavsiye edilmekte." Bana gelen ilk bilgiler bu yöndeydi. Ben ki hiç beyaz giymedim, giymem. Varsa yoksa siyah. Hele beyaz elbisem hatırladığım kadarıyla hiç olmadı. Evlenirken bile. Dolayısıyla benim telaş etme sebebim bambaşka. Kıyafetten ziyade renklerle ilgiliyim. Ne giyeceğimden ziyade ne renk giyeceğim derdindeyim. Neyse ki son anda aldığım haberle endişelerim dağılıyor, rüzgârda seyrelen sis gibi. "Elbise uzun olduğu müddetçe her renk serbest." Yaşasın siyah!

Akşam belirlenen saatte otelin lobisinde Türk gazeteciler, akademisyenler ve işadamları kümeleşmiş bir kez daha. Bu sefer fraklar giyilmiş, ayakkabılar cilalanmış. Herkes birbirini süzüyor; yarı muzip yarı mütebessim. Laf atmalar, takılmalar, beraber fotoğraf çektirmeler... İstanbul'da yahut Ankara'da iken her gün hızlı ve stresli bir iş temposuyla çalışmaya alışkın çehreler şimdi gevşemiş, gayet dingin. İnsan alıştığı ortamın dışına çıkınca nasıl da değişiveriyor kimyası. Sonra doluşuyoruz araçlara, konvoy halinde varıyoruz Buckingham Sarayı'na. Eski ve köklü bir imparatorluğun torun-

ları, eski ve köklü bir imparatorluğun torunlarıyla buluşmaya gidiyor... Sarayın kapısında arabalardan iniyoruz. Kırmızı halılar, ışıklandırılmış avlular, kenarlarda adım başı bekleyen ve tıpkı eski zamanlardaki gibi giyinmiş uşaklar, az ötede göz alıcı bir bina. Modern bir metropolün ortasında masalımsı bir ortam. Bakıyorum da ben dahil tüm konukların yürüyüşü değişiyor ister istemez. Meğer kaldırımda ilerler gibi yürüyemiyormuş insan kırmızı halı üstünde. Merasimler ve usuller bizleri nasıl da yoğuruyor aslında.

İçeri girdiğimizde paltolarımız gene benzer bir törenle alınıyor üzerimizden. Ardından mermer merdivenlerden çıkarak, devasa tablolardaki asilzade portrelerinin gözleri önünde usul usul yürüyoruz. Az ilerideki tablodan beni süzen yüz adeta canlı. On sekizinci yüzyılın loşluklarından bakıyor sessizce. Büyükçe bir salonda, yüzlerce tarihsel tablo arasındayız şimdi. Tek tek kraliçe ve Edinburgh dükünün, Cumhurbaşkanı Abdullah Gül ile Hayrünnisa Gül'ün ellerini sıkıyor, sıcak sözlerle buyur ediliyoruz. Bir başka odada fraklı insanlarla dolu etraf. Anlaşılıyor ki kraliçenin yakın saray görevlileri onlar. Kimi diyor ki, "Ben majestenin atlarından sorumluyum", kimi diyor ki "Ben yürüyüş alaylarındaki filanca taburdan sorumluyum". Cam çerçeveli masalar var dört bir yanda. İçlerinde tarihsel elyazmaları, mücevherler, gravürler... Meğer bu akşamın şerefine saray arşivlerinde Osmanlı İmparatorluğu'yla ilgili ne kadar kitap, belge ve nesne varsa çıkarılmış; Türkiye'den gelen konuklara gösterilmekte. Hangi cam masaya yaklaşırsanız anında bir görevli beliriyor yanı başınızda. Başlıyor size teferruatlı bilgi vermeye. "Bu baktığınız kitap filanca tarihte falanca tarafından yazılmış ve şu kadar adet basıldıktan sonra şöyle olmuştur." Bir başka köşede bir mücevher. "İşte bu elmas, Kırım Savaşı esnasında Osmanlı sultanı tarafından kraliçemize hediye edilmiştir."

Beni tüm bu tarihsel eserler kadar onları severek ve sahiplenerek saklayan arşiv görevlilerinin tarih aşkı şaşırtıyor. Muazzam bir süreklilik duygusu, geçmişi bugünde, gelenekleri modernite içinde yaşatma gayreti. Bizdekinin aksine! Etrafa göz atıyorum. Prens Charles bir köşede Türk işadamlarıyla sohbet ediyor. David Cameron, gazetecilere Türk basınıyla ilgili sorular soruyor. Yemek masasında sağımda bir general oturuyor, solumda ise bir bankanın başkanı. Birinden askerlik, diğerinden finans üzerine fikirler dinliyorum. Bilmediğim dünyalar. Sonra söz edebiyattan açılıyor; romanlardan konuşuyoruz bol bol ve ben her ikisinin de edebiyat ve sanat bilgisine hayret ediyorum. İsteyenler için içki var masalarda, isteyenler için meyve suyu. Yemek sonrası cumhurbaşkanı güler yüzlü bir incelikle Türk konukları tanıtıyor kraliçeye. Gençlerin yeterince kitap okumadığından şikâyet ediyor. Türkiye'deki kitap dünyasından konuşuyoruz ve kadın okurlardan... Akşam kendiliğinden noktalanıyor. Tarihin sakladığı ortak hikâyeleri merak ederek çıkıyorum saraydan, sessizce.

Kelimelerden Kaleler Kurmak

Dünya tarihinde çok az metin "J'Accuse" (Suçluyorum) kadar etki bırakabilmiş olsa gerek. Émile Zola'nın meşhur mektubunun yayımlanmasının yıldönümünde, Avrupa'nın çeşitli noktalarında edebiyatçılar, sanatçılar, gazeteciler, akademisyenler, hatta siyasetçiler o günlerde yaşananları hatırlatan konuşmalar yaptılar, yazılar kaleme aldılar. Bu vesileyle, *Germinal* gibi dev bir esere imzasını atan Émile Zola'yi yâd etmek istedim.

13 Ocak 1898'de Fransa'nın önde gelen gazetelerinden *L'Aurore*'da çarpıcı bir yazı çıktı. Fransız edebiyatının en parlak isimlerinden Zola tarafından kaleme alınmış beklenmedik bir mektuptu bu. Doğrudan doğruya dönemin devlet başkanını ve kimi tanınmış politikacıları, isim isim, sebep sebep eleştiren bir metin, bir yakarı, bir uzun çığlık. Birkaç saat içinde kelimeler yangın alevi misali büyüdü, kelimeler kaleler kurdu; elden ele, kulaktan kulağa dolaştı fısıltılar halinde. O gün gazete her zamankinin on misli tiraj yaparak 300 bin adet sattı. Bu kadar ilgi çeken hadise Zola'nın süregiden bir davayı, daha doğrusu bu davada devletin takındığı rolü kıyasıya eleştirmesiydi. "Gerçeği söyleyeceğim. Benim görevim konuşmak..." Yoksa işlemediği bir suçun cezasını çeken bir mahkûmun ağırlığı eklenecekti yüreğine, kararacaktı geceleri; başını yastığına koyduğunda rahat uyuyamayacaktı bundan böyle... Öyle diyordu Zola dostlarına ve karısına.

Dreyfus Davası, Avrupa tarihinin dönüm noktalarından biri ve daha sonra yaşanacak karanlık dönemeçlerin de adeta habercisiydi. Yahudi olduğu için günah keçisi olarak seçilen, Almanlara ajanlık etmekle suçlanan, adil bir yargılamaya layık görülmeyen, haksız yere damgalanan, tutuklanan ve cezalandırılan Yüzbaşı Dreyfus. Yabancı dil bildiği, eğitimli ol-

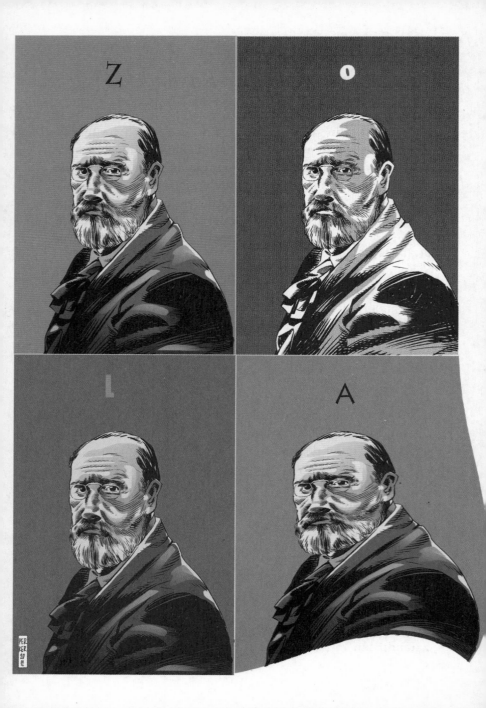

duğu ve tabii esas azınlık mensubu olduğu için "vatana bağlılığı son derece şaibeli" bulunan kişi. Birinci Dünya Savaşı öncesi yükselen şovenizm, ırkçılık, aşırı milliyetçilik ve paranoya ortamında kurban olarak seçildi. Tek suçu, makro ve trajik tarihsel değişimlerin yaşandığı bir ortamda ve böyle bir anda "öteki" kimliğini taşımaktı. Hadiseyi uzaktan izleyen Zola, uzun bir süre sessiz kaldıktan sonra en nihayetinde dayanamayıp cumhurbaşkanını ve çeşitli politikacıları, olan bitene en hafif tabirle göz yummakla suçlayan bir metin yazdı. Keskin, net, akılcı bir üslupla. "Suçluyorum"un yayımlanmasından sonra Fransa ikiye bölündü. Bir tarafta Dreyfus yanlıları, beri yanda Dreyfus karşıtları. Tarihi boyunca çok az safhada bu kadar kutuplaşacaktı ülke. Bir yanda Zola'ya destek çıkan aydınlar, demokratlar, dilekçeler toplayıp seslerini birleştirdiler. Zola'ya tepki duyanlar ise sokaklarda yürüyüşler yaptı, ateşler yaktı, ırkçı sloganlar attılar. "Zola Yahudi locasından para alıyor, en büyük vatan haini o!" suçlamaları gırla gitti. Kulaktan dolma bilgiler, dedikodular, hakaretler ve iftiralar da cabası. Zola tehditler aldı, dışlandı, orduya hakaret etmekten mahkemelik oldu. Savunmasını yaparken "Bir gün Fransa bana teşekkür edecektir" diye bitirdi sözlerini. O bunları göremese de tarih onu haklı çıkardı.

Ne yazık ki yazar bir sene hapis cezasına çarptırıldı. Sokaklarda, meydanlarda hem lehinde hem aleyhinde eylemler devam etti; onu düşman belleyenler de, sayanlar da çoğaldı. Lakin mektubu hayli etkili oldu. Dreyfus Davası yeniden görüldü, hak yerini buldu. Uzun bir süreç sonunda cumhurbaşkanı tarafından affedildi Dreyfus, itibarı kendisine iade edildi. Zola öldüğünde 50 bin kişi yürüdü ardından. Kuşaklar boyunca milyonlar yas tuttu. Anatole France mektup hadisesini "İnsanlığın bilincindeki en anlamlı an, bir sıçrama" diye nitelendirdi.

Okumadıysanız şayet, görmediyseniz yahut, *Germinal* muazzam bir roman, muazzam bir film. Gérard Depardieu'nün oyunculuğu unutulmaz. 1860'larda kömür madenlerindeki işçilerin durumlarını anlatır hikâye. Acı, isyan, kırgınlık, umut... Dönemin en pahalı bütçeli filmiydi bir zamanlar. İlk izlediğimde üniversitede öğrenciydim. Işıklar yandığında yerimden kalkamadığımı hatırlıyorum; üzerime çöken ağırlığı, hüznü, işsizliği... Kimseyle ama kimseyle konuşmama arzusunu...

Bu dünyadan Émile Zola geldi geçti. Eserleriyle, kelimeleriyle, vicdanıyla... Dedim ya, yâd etmek istedim edebiyat tarihinin nevi şahsına münhasır üstadını.

Aramızdaki Kurt Adamlar

1725 senesinde Avrupa'da yaşanmış bir olaydır bu. Hakikattir baştan sona ama hayal gibi gelir duyanlara hâlâ. Kuzey Almanya'da ormanlık bir bölgede avlanmaya çıkanlar aniden garip bir yaratıkla karşılaşırlar; yarı insan yarı hayvan bir hilkat garibesi. Dikkatlice bakınca anlarlar ki on ikion üç yaşında bir oğlan çocuğudur karşılarında duran. Ama çocuktan ziyade kurda benzemektedir. Çıplak, kirli ve tepeden tırnağa kıllarla kaplı; saldırgan, öfkeli, diken üstünde. Doğar doğmaz ormana terk edilmiş, kurtlar arasında büyümüş bir can. Ağlarla, silahlarla etkisiz hale getirip yakalarlar. Üzerine bir şeyler giydirip derhal dönemin asilzadelerinden Hanover dükünün karşısına çıkartırlar. Başköşeye oturturlar, ne de olsa onur konuğu sayılır.

Masada onlarca seçkin misafir vardır; hepsi de soluğunu tutup oğlanı inceler. Nasıl yemek yiyecek acaba? İnsan gibi mi, hayvan gibi mi? Soylu bayanlar gözlerini kırpıştırarak izlerler. Bu esnada oğlan, kimseye bakmadan yemeye başlar. Ekmeğe, hamur işlerine elini sürmez. Bol bol meyve, sebze ve çiğ et indirir gövdeye. Çatal bıçak kullanmayı bilmez, elleriyle yer. Peçete neye yarar anlamaz, ağzını avuçlarına siler. O şapır şupur sesler çıkartarak yedikçe masadaki bayanlar yelpazelerinin arkasına saklanır. Oğlana oracıkta bir isim verilir: Peter. "Vahşi Oğlan Peter" namı diğer.

Tam bir sene boyunca zavallı Peter'ı eğitmeye, medenileştirmeye, sosyalleştirmeye çalışırlar. Bütün ısrarlara, azarlara, cezalara rağmen ehlileşmez; yatakta yatmaz, yerde uyur. Yastık yorgan kullanmaz, ister yaz olsun ister kış. Konuşmayı hiçbir zaman öğrenemez; hele okuma yazmayı zinhar. Kitaplara, harflere korkuyla bakar, bilmediği bu cisimleri idrak edemez. Bir tek kendi ismini söylemeyi becerir, o kadar. "Yaşasın kral"

demeyi öğretmek için uğraşırlar, onu da eline yüzüne bulaştırır. Kelimeler ona göre değildir, güvenmez hiçbirine.

Kurt çocuğa yürümeyi, oturup kalkmayı, selam vermeyi, kısacası toplum adabını öğretmek için hocaların biri gider biri gelir. Hepsi de havlu atıp, peş peşe istifa eder. Peter onlardan nefret eder. İlk fırsatta topuklayıp ormana kaçar, ait olduğu yere. Ama bırakmazlar. Bulur, yakalar, geri getirirler medeniyet denilen cehenneme. Bu sefer Londra'ya götürülür; orada da tıpkı Almanya'da olduğu gibi halkın ve kraliyetin büyük ilgisini çeker. İnsanlar seyretmeye gelirler akın akın. Kafesinde bir hayvan gibi teşhir edilir. Zengin ve muktedir çevrelerde dalkavuklar, yalakalar cirit atar bugün olduğu gibi o dönemde de. Bu tiyatro dekorunun ortasına bomba gibi düşer Peter. Para pul, şan şöhret, hiçbir şey umurunda değildir. Krala da, hizmetçiye de bir davranır. Çıkarsız, hesapsız. İnsan ayrımı yapmaz, her şeyin yapmacık olduğu anlarda ve mekânlarda sahici olan tek şey odur aslında. Bu yüzden ondan hem iğrenir, hem de onsuz yapamaz olur asiller.

Nitekim prenseslerden biri onu süs bitkisi gibi malikânesinde tutmaya kalkar. Bu arada edebiyatçılar, Peter ile tanışmak için kuyruğa girer. Yazar Jonathan Swift ondan etkilenir, hallerini gözlemler ve daha sonra tüm bunlar *Gülliver'in Seyahatleri*'ndeki karakterlere ilham olur. Keza dünya edebiyatının en önemli kalemlerinden Daniel Defoe da Peter hakkında yazılar döşenir. Okurlarının zihinlerine sorular eker, tohum tohum: "Medeniyet nedir? İnsanı hayvandan ayıran nedir? Sahip olduğumuz kültür ve uygarlığın ne kadarı iyi, ne kadarı habistir?" Tüm bu sorular *Robinson Crusoe*'nun yazarı için önemlidir. Kendini insan zannedenleri eleştirir.

Aklı olup da vicdanı olmayanlara ne diyeceğiz? Böylelerini "üstün" mü addedeceğiz? Onların yanında Peter çok daha âlâ değil mi? Çok daha sarih ve sahici? Avrupa'da aklın ve bilimin hâkim olduğu bir dönemde kurt oğlan kalıpları altüst eder.

Entelijansiya sabah akşam onu konuşur. Ne var ki Peter çabuk unutulur. Başka skandallar, yeni malzemeler peşindedir halk, hafızası nisyan ile maluldür. Peter kendi haline terk edilir. Ne var ki artık ormanlara ait değildir, dönemez. Toplumla da yıldızı barışmaz. Arada bir yerde, kaygan ve kaypak bir arafta sıkışır kalır, hiçbir yere yanaşamaz. Bu arada içki içmeye başlar kahrından. Vahşi çocuk Peter büyümüş, alkolik olmuştur. Oradan oraya savrulur, gittiği her yerde ya sorun çıkarır ya yanlış anlaşılır. Başı bir türlü beladan kurtulmaz. Hakkında arama emri çıkarılır. Bir ülkeden bir ülkeye, mütemadiyen sürgünde gider gelir. Yetmiş iki yaşında son nefesini verir. Hâlâ konuşmayı öğrenememiş vaziyette, hâlâ bir yere ait olamadan. Mezar taşına yazarlar: 1785 Vahşi Oğlan Peter.

History Today dergisi bir sayısında bu tuhaf, çarpıcı hikâyeye yer verdi. Dikkatimi çeken nokta, öykünün kendisi kadar, bunu kaleme alan yazar için yaptıkları açıklamaydı: Yazar kendisi kırık ve kırgın bir çocukluk geçirdiği için Peter'ın hikâyesine ilgi duymuştur. İncelediğimiz, konuştuğumuz öykülerin ardında hep kendi arızalarımız yok mudur zaten?

Tuhaf Meyve

Mark Twain bir seferinde, "İnsan, yüzü kızaran tek canlıdır" demişti. Ve eklemişti ardından: "Yani kızarmak durumunda kalan." Diyebilirsiniz ki, vicdan ve bilinç sahibi olduğumuz için böyle bu, hayvanların aksine. Doğru, ama kısmen. Aynı zamanda kendi cinslerimizi ezmeye, incitmeye, sömürmeye, kullanmaya, dışlamaya, damgalamaya açık olduğumuzdan böyle bu, gene hayvanların aksine. Bu yazıyı yazarken eski bir şarkı dinliyorum. Unutulmaz diva Billie Holiday'den. İsmi, "Strange Fruit". "Tuhaf Meyve" diye çevirmek de mümkün, anlamla biraz oynayıp "Acı Meyve" yapmak da. Bugüne dek yapılmış şarkılar, yazılmış şiirler, anlatılmış efsaneler arasında özel bir yeri var "Tuhaf Meyve"nin. Dinleyenlere geçen duygusal bir elektrik akımı. Şayet parçanın hikâyesini bilir ve gözlerinizi kapayarak, mümkünse tek başınıza bir odada dinlerseniz, şayet kendinizi bütünüyle verirseniz müziğin akışına ve acısına, tüyleriniz diken diken olur birkaç saniye içinde; her nota bir şey söker yüreğinizden, kireç tutmuş önyargıları oynatır yerinden. Irkçılık ve yas, ayrımcılık ve hüzün, trajedi ve umut, insanın insana ettiği zulüm hiç bu kadar çarpıcı anlatılmadı...

***

Sene 1930. Yer Indiana. Amerika'da ırkçılığın ve nefret söyleminin ayyuka çıktığı dönemler. İki siyah genç, sırf derilerinin renginden ötürü, durup dururken yol ortasında bir grup beyaz erkek tarafından kovalanırlar. "Siyahları istemiyoruz" diye bağırır arkadaki gürüh. "Defolun topraklarımızdan." İki siyah delikanlı panik içinde koşmaya başlar, ama kovalayanlar onlardan daha hızlı çıkar. Onlarca insan savun-

masız ve silahsız iki kişiye tekme tokat girişir, çullanırlar. Gençleri ölesiye döver, ardından linç eder, sonra da cansız bedenlerini bir ağacın dallarından sallandırırlar, bölgedeki öteki siyahlara da ibret olsun diye. İki delikanlının bedeni ağacın dallarında sallanır, karayelde titreşen yapraklar gibi. Olay yerine gelen muhabirler fotoğraf çeker, gazetelerine yazı geçerler. Polis faillerin peşine düşer ya da düşer gibi yapar. Birkaç kişi mimlenir, gerisi geçiştirilir. Derken unutulur hadise. Daha doğrusu, her zaman olduğu gibi, canı yanan, yüreği dağlananlar unutmaz da, berikiler unutuverir. Seneler sonra bir gün Amerikalı şair Abel Meeropol bir kitabı karıştırırken o gün orada çekilen siyah beyaz bir fotoğraf bulur. Gözlerini ayıramaz fotoğraftan. Ağaçtaki gençlerden koparamaz bakışlarını. Aynı gün eve gidince bir şiir kaleme alır: "Güney'de ağaçlar tuhaf bir meyve verir / Yapraklarında kan, köklerinde kan / Güney'in rüzgârlarında sallanır siyah bedenler / Tuhaf meyveler gibi..."

Bu arada New York'ta caz kulüplerinde ünlenmekte ve yükselmektedir Billie Holiday. Sesi, tarzı, duruşu, şarkı söylerken seyircisine geçirdiği enerji... Her şeyiyle biriciktir. Irkçılığın normal addedildiği bir dönemde o müziğiyle önyargıları kırmakta, tabuları zorlamaktadır. Okumayı sever. Şiir, hikâye, roman... Bir gün bir şiir çıkar karşısına. Yürekten etkilenir. Besteler ve söylemeye başlar. Her gece, caz kulübünde konserin son parçasıdır artık "Tuhaf Meyve". Garsonlar servis yapmayı bırakır, seyirciler soluklarını tutar, tüm kulübe derin bir sessizlik hâkim olur, ışıklar karartılır. Sadece Billie Holiday'in üzerinde minicik bir ışık huzmesi durur. Ve bu şekilde, o koyu karanlık ve kesif sessizlikte başlar şarkısını söylemeye. 1930 senesinde linç edilen iki siyah delikanlıya yaktığı ağıttır. Plak şirketleri ve kulüp patronları hoşlanmazlar bu durumdan. Politik sözler sarf etmesini istemezler şarkıcının. Sadece insanları eğlendirsin, hoşça vakit geçirmelerini sağlasın yeter, diye düşünürler. Aşktan ve ayrılıktan bahsetsin ama girmesin politik meselelere. Billie Holiday inat eder, dinlemez kimseyi. Sonunda baktı ki olmuyor, kendi imkânlarıyla stüdyoda okur bu şarkıyı. Okur ve ölümsüz kılar.

Sanatın işi, sanatçının hem nimeti hem de laneti, görülmeyeni görmek, konuşulmayanı konuşmaktır. Nerede bir linç kültürü varsa, nerede bir nefret söylemi, nerede ırkçılık, cinsiyetçilik, ayrımcılık ve ötekileştirme vuku buluyorsa, bunu şiire dökmek, romana aktarmak, şarkıya çevirmek, tuvale ya da karikatürlere dönüştürmek durumundadır sanatçı.

Tuhaf Meyveler sallanıyor vicdanlarımızın dallarında. Acılarını konuşamayan, geçmişine ve bugününe eleştirel bir şefkatle bakamayan bir ülke, hiçbir zaman büyüyemez.

Annelerimizin Gözünde
Ne Zaman Büyürüz?

Bundan seneler evveldi. Ya *Bit Palas*'ı yazıyorum ya *Mahrem*'i. Çekilmişim bir köşeye; bir yolculuğa çıkmışım kendi içime. Masamın üzerinde kitaplar, sözlükler, notlar ve o zamanki bilgisayarım. Yazıyorum. Romanın ortalarındayım. Karakterler ete kemiğe bürünmüş artık. Bir hayal âleminde dolaşıyorum. Derken bir ara içeriden annemin sesi geliyor. Belli ki biriyle telefonda konuşuyor. "Ah ne iyi yaptın Semracım aramakla" diyor. Kim bilir kim bu sohbet ettiği? Ya bir akraba ya eski bir arkadaş. Anlatıyor da anlatıyor. Derken bana geliyor laf. "Eh Elif de iyi, bildiğin gibi. Oku oku devamlı, gözleri bozulacak valla. Ders çalışıyor içeride gene."

Ders mi çalışıyorum?! Üniversite biteli seneler olmuş. Yaptığım işin ders çalışmakla ilgisi alakası yok. Roman yazmak benim işim, mesleğim, tutkum, var oluşum... Ama olsun, ismini kendime soyadı yaptığım annem Şafak Hanım'ın gözünde ben hâlâ öğrenciyim, hâlâ bir hayat üniversitesine devam etmekteyim.

Zaman geçiyor bu hadisenin üzerinden. *Siyah Süt* çıkmış, bir gazeteciyle söyleşi yapmaktayım. Ortam ciddi, sorular haşin. Cep telefonunu sessizde tutuyorum. Pat diye arıyor Şafak Hanım. Dayanamayıp açıyorum. "Elifcim şu anda bir süpermarketteyim. Buradaki kasiyer kız seni çok seviyor. İsmi Nazan. Tunceliliymiş. Bak telefonu veriyorum. Nazan'a merhaba de!" Ben daha "gak guk, ama meşgulüm..." diyemeden kulağımın dibinde bir yabancının sesi yankılanıyor. Heyecandan sesi titreyen gencecik bir kadın bana, "Merhaba Elif Hanım, yazdığınız her şeyi okudum, çok seviyorum sizi" diyor. O kadar candan ki, öylesine duru, halimize kızamıyorum. Ben de ona içten "Merhaba" diyorum. Karşımda oturan gazeteci

bu arada meraklı, müstehzi gözlerle izliyor beni. Kim bilir ne yazacak şimdi hakkımda? Bu vaziyette yaklaşık bir on dakika boyunca, hayatımda hiç tanışmadığım genç bir kadınla sohbet ediyorum. Sonra annem alıyor telefonu. "Ay ne güzel oldu tanıştınız, hadi bay bay!"

Bir ya da iki sene sonra yer TÜYAP Kitap Fuarı. Art arda söyleşi ve imza günüm var. Önce uzun bir konuşma vermişim, soru yağmuruna tutmuş okurlar. Sorular, sorular, ardından alkışlar. Derken iç salona geçmişiz. Upuzun bir kuyruk, beraber fotoğraf çektirmek isteyenler, sarılanlar, kitap imzalatmak için iki saat beklemeyi göze alanlar, bir kenarda çekim yapan kameralar, gazeteciler, bir telaş, bir koşuşturma, yoğunluk...

Tam o arada Şafak Hanım arıyor. Daha az evvel her şeyi bilen, her konuda söyleyecek sözü olan "bilmiş yazar" havasında konuşan ben, aniden değişiveriyorum. Bir kız çocuğu oluyorum. Fısıldıyorum telefona. "Annecim imzadayım, sonra arayayım seni." "İmzadasın biliyorum" diyor. "Televizyonda gördüm. Niye söylemiyorsun bana? Niye ben basından öğreniyorum etkinliklerini?" Neyse ki bu imkânsız soruya cevap vermemi beklemeden devam ediyor tam gaz, son sürat. "Sen hatırlamazsın ta Ankara'dan komşumuz Münevver Hanımlar aradı, tebrik ediyorlar. Çocukluğunu bilir onlar senin. Bir kere evlerinde kusmuştun. Dört tane yumurta yedin üst üste, dokundu tabii. Kadıncağız hâlâ anlatır o günü."

Ben çocukken nasıl kustuğumu dinlerken, Doğan Kitap'tan arkadaşlar geliyor yanıma. Editörüm, yayıncım da orada. "Elif Hanım hazırsanız imzaya başlayabiliriz; kalabalık sabırsızlanıyor, kuyruk da çok uzun." "Tamam, bir dakika içinde kapatıyorum" diyorum boncuk boncuk terleyerek. Annem devam ediyor bu arada. "Komşular da selam söylüyorlar, ta öğretmen okulundan arkadaşlar da aradı. Ay ay ay unutmadan imzalı kitap istiyoruz. Bir tanesi musluğumuzu tamir eden muslukçu Halil için. Adamcağız nişanlıymış. Nişanlısı seni çok seviyormuş. Kızın adı Sümeyra, bak Hümeyra değil, Sümeyra, ona imzala oldu mu? 'Düğünümüze gelsin Elif Hanım' dedi muslukçu. Beni de davet etti. Üç tane de kuafördeki kızlara söz verdim." Bir an etrafımdan kopuyorum. Şu anda ne edebiyat ne sanat ne felsefe ne kitaplar...

Şafak Hanım'ın karmaşık dilini anlamakla meşgulüm. Bu dili çözecek şifre icat edilmedi daha. "Ne kuaförü annecim ya?" diyorum. "Manikürcü kız *Firarperest* istedi, saçımı boyayan Emin var, çok efendi, o da *Baba ve Piç* istiyor. Ha bir de çay getiren çırak var. O da *Aşk* istiyor ama 'Aman pembe olmasın abla' dedi. Gri kapaktan yolla." Nihayet telefonu kapatınca "annesinin kızı" kimliğinden "okurlarının yazarı" kimliğine geçmem biraz zaman alıyor. Bir bardak soğuk su içiyorum arada. Sonra gayet ciddi bir edayla başlıyorum kitap imzalamaya.

Biz ne zaman büyürüz annelerimizin gözünde? Sahi ne zaman? Kaç kitap yazınca bir romancı, kaç albüm çıkarınca bir müzisyen, kaç tez yazınca bir akademisyen, kaç seçim kazanınca bir politikacı ya da kaç ameliyat yapınca bir doktor, annesinin gözünde artık "yetişkin" sayılır? Bilemiyorum. Belki de hiçbir zaman.

Korsan

Bir sabah yayınevimden bir telefon geldi. Sevgili yayıncım Gülgün Çarkoğlu telefonun öbür ucunda, "Sana tuhaf bir haberim var" dedi. Bir kamyon dolusu korsan *Aşk* yakalanmıştı. Bir kamyon dolusu roman nasıl olur, neye benzer, gözümün önünde canlandıramadım bile. Nasıl bir şey, moloz taşır gibi taşımak kitapları? Ya da zeytinyağı kolileri, un çuvalları gibi. Üst üste yığınlar halinde... Aynı gün başka yazarlar, yayıncılar, editörler ve çevirmenlerle birlikte Emniyet'in avlusunda durup hayretle baktık etrafımıza. Gördüğüm en sürreel sahnelerden biriydi. Kamyonlar dolusu kitap ve kitapçık...

Yanlarında polisler, gazeteciler, fotoğrafçılar. Kitaplar arasında gayet uyduruk ve adeta telaşla basılmış olanlar da vardı, son derece profesyonelce dizilmiş olanlar da. Öyle kapaklar gördüm ki orijinalinden ayırt edemezsiniz kolay kolay. Şapka çıkartır senelerin titiz yayıncılarına. Türkiye'de sahiden kaç kitap basılıyor acaba, ne kadar roman okunuyor, kimsenin bunun cevabını bildiğini sanmıyorum. Korsanın bu kadar yaygın olduğu bir ülkede rakamlara güvenmek mümkün mü? Güneydoğu'da, Karadeniz'de, İç Anadolu'da, sahil bölgelerinde... Kaç yerde satılıyor yasadışı yollardan çoğaltılan eserler? Kim bilir belki de sandığımızdan çok daha fazla edebiyat okuru var. Bu da işin garip tesellisi...

Bir zamanlar farklıydı halbuki korsan. Harçlarını ödemekte zorlanan öğrenciler, memurlar, emekliler, dar gelirli edebiyatseverler için bir alternatifti. Kitap dünyasından geri kalmamak isteyenler için. Zamanla ve hızla iş çığrından çıktı. Korsan başlı başına bir sektör, bir endüstri oldu. Üstelik korsan yüzünden kitap fiyatları arttı ve artmakta, pek fazla insan işin bu boyutunu görmek istemese de. Basılan korsan kitapların depo kirasını da yayınevleri ödemekte. Bu da gene

kitap fiyatlarına yansıyor. Velhasıl korsan baki oldukça kitap fiyatları değil düşmek, daha da yükseliyor.

***

Benim öğrenciliğimde çok daha romantik bir algı vardı toplumda ve basında.

Pek çok üniversite öğrencisi gibi ben de az kitap almadım yollardan, tezgâhlardan. Ama çabuk vazgeçtim bu huydan; ne zaman ki ayırdına vardım korsanın, "Biz öğrencilere iyilik etmek için kurulmuş hayırsever bir araç" değil, düpedüz bir ticaret olduğunun. Derken seneler geçti. İstanbul'a ilk geldiğim dönemlerdi. Koca şehirde bir başına, sudan çıkmış balık gibi. "Sonradan gelen" olmak, kendini aramak, kimsenin okuyup okumayacağını bilmeden hikâyeler yazmak. Sivri dilli, orta yaşlı bir şair vardı yeni tanıştığım. "Bak benden sana abi nasihati! Ne zaman ki romanların korsana düşecek, işte o zaman sevin!" dedi bir gün durup dururken. "Okunup okunmadığının tek barometresidir korsan. Halkın dürüst ibresidir! Ne eleştirmenlere aldır, ne yayıncıların fikirlerine. Gözün korsanda olsun. Eğer korsan romanın basılıyorsa tamam demektir, edebiyat âleminde tutunmuşsun demektir!"

Ben henüz yirmi altı-yirmi yedi yaşındaydım o zamanlar. *Pinhan* çıkmış, *Şehrin Aynaları* çıkmış. Bir sonraki romanın sadece hissi var yüreğimde. İrkildiğimi hatırlıyorum bu yorumu duyunca. Derken *Mahrem* basıldı. Yolda yürüyorum bir sabah, Taksim-Gümüşsuyu yakınlarında. Uzaktan sapsarı bir kapak dikkatimi çekti, yere açılmış bir tezgâhta. Durup ağzım açık baktığımı hatırlıyorum. *Mahrem*'e tıpatıp benzeyen ama onun soluk ve garip bir kopyası yerden bana baktı. Tezgâhtarla göz göze geldik. Dayanamadım. "Bu benim romanım" dedim. Bir kitaba baktı, bir bana. Gülümsedi gayet rahat: "E abla, imzala o zaman." Ve ben bunu hiçbir yerde anlatmadım, bugüne kadar itiraf etmedim ama o gün o korsan kitabı imzaladım. Yüreğim kıpır kıpır.

Seneler sonra basında "Dört kamyon dolusu *İskender* yakalandı, 150 bin *İskender* bulundu" haberlerini okurken ister istemez o günlere gitti aklım. Korsan da değişti. O romantik algımız da. Tek bir şey baki: Hikâyeler ve hikâyelere olan sevda.

Yalnızların Gücü

The Boston Globe'da çarpıcı bir yazı çıktı, gözlerden kaçmış olabilir. Başlığı ilginçti: "Yalnızların Gücü."

Makalede, başta Harvard Üniversitesi'nde olmak üzere, şu anda yürütülen çeşitli bilimsel araştırmaların yayınlanan sonuçlarına atıfta bulunularak şöyle bir sav geliştiriliyor: "Yalnız çocukların, tek başına kalabilen gençlerin ve genelde yalnız olan insanların empati gücü, sürekli sosyalleşenlere kıyasla daha yüksek çıkıyor."

Bir başka ifadeyle, durmadan grup psikolojisiyle hareket eden, kendini bir kolektivitenin parçası olarak gören ve bunun dışında bağımsız bir kimlik kuramayan insanlar, hangi kesimden olurlarsa olsunlar, ara ara yalnız kalabilen insanlara kıyasla empati kurmakta, başkasına tolerans göstermekte ve farklılıklara anlayış ve şefkatle bakabilmekte daha geride kalıyorlar.

O halde yalnız insanlar, sandığımız gibi, illa da asosyal, beceriksiz ve mutsuz bireyler olmayabilir. Birkaç ayrı üniversitede yapılan deneylerde, tam tersine, yalnız kalan insanların kalamayanlara göre daha mutlu ve daha uyumlu tipler oldukları belirleniyor. Devamlı başkalarıyla vakit geçirmenin insanın zihnini yoran, hatta moralini yıpratan bir yanı var.

Hani hep duyarız, "İnsan sosyal bir varlıktır" lafını. Sosyalleşmeye, gece gündüz başkalarıyla zaman geçirmeye çok büyük ve başat bir ihtiyacımız olduğuna inanırız. Ama hakikaten öyle mi acaba? Bu iddia biraz tuhaf gelebilir fakat düşünmekte yarar var. Belki de gereğinden fazla sosyalleşiyoruz; bilhassa bizler, Türkiye'de.

Güzelim dostluklara, canım arkadaşlıklara bir sözüm yok. Onlar ekmek gibi, su gibi hayatın olmazsa olmazları. Nitelikli bir sohbetin, muhabbetli, keyifli bir dost meclisinin yeri her zaman apayrı. Ama bir de boşu boşuna, yararsızca, verimsizce, sırf etrafa ayak uydurarak geçirdiğimiz o günler, saatler var ya... Hatta haftalar, aylar, hayatlar... Bir sosyal akışa kapılarak, gençlerin tabiriyle "öylesine takılarak". İşte o hallerden pek bir fayda yok kimseye.

İnsan sosyal bir varlık, doğru. Ama insan, aynı zamanda yalnızlığından çok şey üretebilen bir varlık. Ve belki de bugün en temel ama bir o kadar soyut olan eksikliklerimizden biri de bu: "Yeterince yalnız kalmıyor, kalamıyoruz."

Kalmıyoruz, çünkü hayat sosyallikler ve tekrarlar üzerine kurulu. Ritim böyle, düzen böyle. Ve biz alışmışız bu şekilde yaşamaya. Akıp gidiyor nasıl olsa. Çok fazla düşünmüyoruz üzerinde. Kalamıyoruz, çünkü en basitinden bizler önyargılıyız yalnızlık konusunda. Bunu bir âcizlik, bir zayıflık olarak algılıyoruz.

Etrafımızda başkaları varken, kalabalıklar içindeyken kendimizi daha korunaklı addediyoruz. Ya da daha başarılı. Daha karizmatik. Daha mutlu. Etrafa da bu gözle bakıyoruz. Birbirimizin yalnızlıklarına saygı göstermiyoruz. Bir kafede, mesela bir parkta, şehir meydanında, üniversite kampusunda, kendi kendine oturup bir şeyler karalayan, okuyan, düşünen, içine çekilen insan ne kadar az.

Halbuki sanat, felsefe, edebiyat, düşünce, derinlik hep o yalnızlıklardan çıkıyor. Kendimizle baş başa kalabildiğimiz ender anlardan.

"Bireysiz Toplum"lardan Shakespeare Çıkar mı?

Globalleşmenin, hızını yitirmek şöyle dursun, giderek ivme kazandığı bir dünyada nicedir "toplumsuz bireyler" zuhur etmekte. Beyaz yakalılar da var aralarında, mavi yakalılar da... Gezginler, sanatçılar, filozoflar... Manevi bir hakikat veya hayatın anlamını arayanlar da mevcut, henüz ne olacağına karar verememiş, iş bulamamış gençler de...

Birbirinden bu kadar farklı tüm bu insanların ortak noktaları belki de hava bitkileri gibi olmaları. Bir toprağa, sabit bir mekâna bağlanmadan yaşayabilmeyi denemeleri. Tekrar ve tekrar. "Global ruhlar" diyor kimileri onlara. Bir memlekette doğup, ekonomik veya siyasi sebeplerden dolayı bir başka memlekette hayatlarını sil baştan inşa eden göçmenlerden ya da mültecilerden tamamen farklı onlar.

Özde farklılar. Ya meslek ya meşrep sebebiyle durmadan dolaşmakta, berdevam bir gurbet halini mesken edinmekteler. Sırtlarında evleri, kaplumbağa misali, belki de hayallerinden başka bir diyara ait olamıyor, bir türlü çoğunluğa ayak uyduramıyorlar.

Edward Said onlara "Sürekli sürgündekiler" derdi. Doğu, Batı, Kuzey, Güney... Avrupa, Afrika, Amerika, Asya... İlk bakışta hemen fark edilmese de çok var bu gezginlerden, asilerden...

Öteki uçta ise "bireysiz toplumlar" var. İnsanların daha doğuştan kendilerini aşiretler, klanlar, kolektiviteler içinde bulduğu, ancak kitleler içinde önem, anlam ve itibar kazandığı, lakin isteseler dahi birey olamadığı, vatandaş haline gelmediği yekpare yapılar.

Tüm dünyada baskıcı rejimlerin ortak özelliğidir temelinde "bireysiz toplumlar" kurmaları. Buralarda sivil toplum yetişemez, yeşeremez. Hem-renk, tek-ses bir blok gibi algılanır cemiyet hayatı. Farklılıklar değil teşvik edilmek, yahut kabul görmek, "potansiyel bir tehdit" gibi karşılanır. Ne var ki "bireysiz toplumlar"dan sanat çıkmaz, felsefe çıkmaz, özgürlük çıkmaz, mutluluk çıkmaz.

Bugün Ortadoğu'da yaşanan değişim, kütle-toplumundan bireyselleşmeye doğru bir dönüşümdür aynı zamanda. Olgun demokratik sistemlerde bireyin hak ve özgürlükleri güvence altına alınmıştır. Yarı veya na-demokratik tedirgin sistemlerde ise birey karşısında devlet korumaya alınır ha bire.

Okuyanlar bilir, *Shakespeare Olmak* adında ilginç bir eser var. Stephen Greenblatt tarafından kaleme alınmış çarpıcı bir kitap. Şayet taşradan gelen, doğru dürüst üniversite eğitimi dahi olmayan, babasının hatalarını sırtlayan bir delikanlı nasıl oldu da dünyanın en önemli yazarlarından biri haline geldi merak ediyorsanız, cevabı burada.

Kitabın temel savlarından biri de şu: "Shakespeare bunca yükselebildi ve özgün bir ses yakalayabildiyse, bunu aynı zamanda o dönemki Londra'da bireyselleşmeyi teşvik eden bir ortam bulabilmesine borçlu. Eğer sürekli farklılıkları bastıran, homojen yapılar kuran taşrada kalsaydı muhtemelen kendini geliştiremeyecek, solacaktı."

Türkiye'de, nüfusun bu kadar genç ve dinamik olduğu bu canım memlekette Shakespeare olmak için çabalayan nice genç kız ve delikanlı var. Onlara, kendi kabiliyetlerini geliştirecekleri, farklı kimlik ve kişilikleriyle kabul görecekleri bir ortam sağlayabilirsek şayet, müreffeh ve huzurlu bir ülke olabileceğiz.

Yeni bir anayasa ne bir lüks, ne de ertelenebilir bir talep. Shakespeare olmak kolay değil elbet. Ama Shakespeare'ler sadece bireylerini seven, bireysellikten ürkmeyen toplumlardan çıkıyor.

Ortak Yaşam Alanları,
Ortak Duyarlılıklar

Seneler, seneler evveldi. Şehr-i şehir İstanbul'un en gürültülü, en hercai noktalarından olan Kazancı Yokuşu'nun sakinlerinden biriydim ben de. *Mahrem*'i yazmaktaydım burada. Romanda anlattığım cüce ve aşırı şişman kadın, doğrusu biraz da etrafımda gördüğüm, gözlemlediğim uçuk insanlardan etkilenerek oluşturduğum karakterlerdi.

Meşhur Kazancı Yokuşu o muazzam karmaşasıyla hayal gücümü besliyor, bana ilham veriyordu. Her kesimden insan mevcuttu sokak boyunca. On iki çocuklu aileler de vardı, tek başına yaşayanlar da. Muhafazakârlar, solcular, feministler, Aleviler, Sünniler, Kürtler, Lazlar, Ermeniler, Yahudiler, sanatçılar, akademisyenler, travestiler... Bir renk demetiydi adeta.

Bakkallardan biri hayli tutucu ve biraz da sert bir adamcağızdı; içki satmaz, fikirlerine katılmadığı gazete ve dergileri kapısından içeri sokmazdı. Sadece onun gibi düşündüğünden emin olduklarına selam verirdi. Keza yaşam tarzını tasvip etmediği veya tipini beğenmediği müşterilere de hizmet etmezdi. Karısı ilgilenirdi o zaman. Bakkal ters ters bakmakla yetinirdi.

İstanbul depremini yaşadığımızda ben bu sokakta ikamet etmekteydim. Gecenin bir yarısı hepimiz panik ve endişe içinde dışarı fırladığımızda hiç unutmadığım bir görüntüyle karşılaştım. Bizim bakkal oracıkta kaldırımda oturuyordu, eli ayağı titreyerek. Yanında hüngür hüngür ağlayan biri vardı, bir travesti. Gözlerinin rimeli akmış, saçı başı dağılmış, korkudan perperişan. Normalde asla yan yana gelmeyecek bu iki insanı buluşturan ecel korkusuydu. Derken bakkalın cebinden bir paket sigara çıkarıp travestiye ikram ettiğine tanık oldum. Beraber oturuşları hiç gitmez gözümün önünden.

O gece, Kazancı Yokuşu'nda yaşayan, yaşayıp da birbirleriyle tek kelime konuşmayan, kendi camdan gettolarını kuran nice insan, ilk defa yan yana düştü, birbirine destek oldu. Radyolar dinlenip ne kadar çok insanın hayatını kaybettiği anlaşılınca bir tuhaf sessizlik çöktü üzerimize. O an hiçbir şeyin önemi yoktu. Din, dil, etnik ayrım, cinsiyet, yaş, sınıf, Doğulu, Batılı, eğitimli eğitimsiz... Sadece ve sadece insan vardı. Olanca faniliğiyle...

***

Beyoğlu'nda başlayıp Cihangir'de devam eden masa kaldırma operasyonunu okurken bunları düşünüyorum ister istemez. Beyoğlu Belediyesi Asmalımescit başta olmak üzere pek çok noktada dışarıya taşan masaları kaldırdı. Belediyenin açıklamasında bu uygulamanın kamu yararını korumak için başlatıldığı, şehrin tarihi dokusunun korunmak istendiği dile getiriliyor.

Belediyeye ait alanların işgal edildiği, buralardan haksız kazanç sağlandığı vurgulanıyor. Öte yandan esnaf son derece dertli ve şikâyetçi. Yazın en sıcak günlerinde müşterilerine masa sağlayamamanın rahatsızlığını yaşıyor.

Tarafsız ve önyargısız bir noktadan bakıyorum tırmanan gerilime. Bu hadisenin hiç istenmeyen yerlere gittiğini görüyorum. Bizler zaten milletçe genel olarak birbirimize güven sorunu yaşıyoruz. Camdan gettolarımızdan kolay kolay çıkmıyoruz. Ve maalesef birbirimizi çok çabuk yanlış anlıyor, "onlar" ve "biz" diye kamplara bölüyoruz. Ortam böyle olunca her tartışma tez alev alıyor.

Paris'te, Londra'da, Amsterdam'da, Venedik'te, Madrid'de... Dünya şehirleri biraz da sokaklarındaki masalarla, oradaki sohbetlerle, o kendiliğinden ve rahat halleriyle vardır, öyle güzeldir. Sonbahar ki en âlâ mevsimidir Asmalımescit'in. En füsunkâr demleridir. Ve Asmalımescit dendi mi akla sokakları, masaları, tatları, insanları gelir.

Bir şehrin tarihsel dokusunu korumaya, bu konuda duyarlı olmaya elbette hiçbir itiraz olmamalı. Ama masaları toptan kaldırdığınız takdirde ne çok insanı —gerek müşteri gerek esnaf, gerek yerli gerek turist, gerek içki içen gerek içmeyen— küstürmüş, "onlar" ve "bunlar" ayrımlarını pekiştirmiş olacaksınız istemeden.

Bir şehrin sokaklarını ve dokusunu muhafaza etmek kadar sakinlerini küstürmemek, incitmemek, ötelememek de önemlidir kanımca.

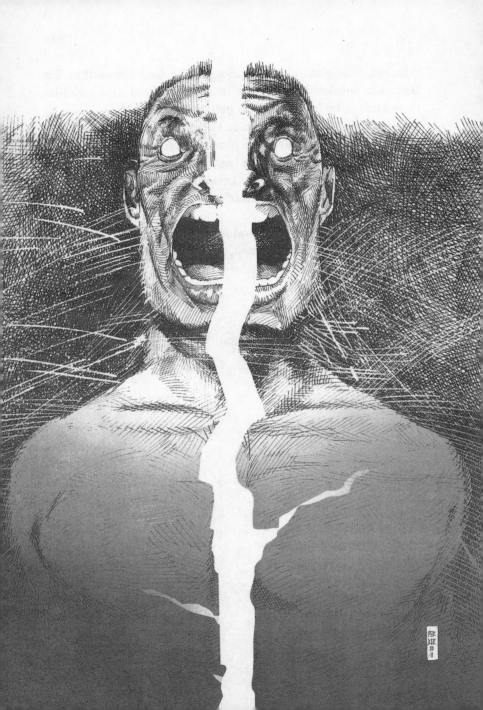

Yüreklerimizdeki Fay Hattı

Van depremi geldi ama geçmedi. Artçı şokları halen devam etmekte peş peşe. Toplum olarak sarsmakta bizi, sallamakta. Hem fiziksel hem siyasi açılardan. Bu felaket birçok şeyi açığa çıkardı aslında. Gözümüzün önünde duran ama hep görmezden geldiğimiz, senebesene üzerini örttüğümüz temel meseleleri ifşa etti.

Çürük yapılarımızı, kabul edilemez ihmalkârlıklarımızı, her fırsatta yarınları emanet ettiğimizi söylediğimiz çocuklarımızı eften püften binalarda tehlike içinde eğitim görmek durumunda bıraktığımızı, yasalarımızdaki derin boşlukları, denetimsizliği ve acilen yapılarımızı sağlamlaştırmak, tavrımızı değiştirmek zorunda oluşumuzu... Ve bir şeyi daha gözler önüne serdi deprem: Vicdanlarımızdaki derin çatlakları.

Yüreklerimizde bir fay hattıyla yaşıyormuşuz meğer. Bilmeyen varsa da artık öğrendi. Hattın bir tarafında "biz", bir tarafında "berikiler". Toplumu, hatta cümle âlemi karpuz gibi ortadan ikiye ayırıyormuşuz meğer "bizden olanlar" ve "bizden olmayanlar" diye... İkinci kategori alabildiğine muğlak ve karmaşık, ucu açık bir parantez gibi, hani cümle sonuna terk edilmiş. Her an her kimlik sığabilir içine. Duruma göre. Öylesine belirsiz. ÖTEKİ KİM?

Mesela bir gün Ermeniler olur ötekiler. Bir gün Kürtler. Sonra Aleviler. Bir başka gün filancalar, derken falancalar. Kimine göre "türbanlılar" bir arada yaşamayı asla istemediği kesim, kimine göre "Kemalistler". Kimine göre ise esas mesele "eşcinseller" ya da "travestiler". Yoz olan onlar, bakan göze göre değişiyor ötekinin kim olduğu. Ama bariyerler hep orada. Gidip gidip hep tosluyoruz o camdan duvarlara. Kutuplaşma daim. "Biz" ve "onlar" ayrımı kalın çizgilerle sabitlenmiş zihinlerimizde. Silinmiyor kolay kolay.

Vaktiyle, psikolog bir Musevi arkadaşımdan dinlemiştim bu hikâyeyi, kulaklarıma inanamadan. Türkiye'de kadınların aile içinde yaşadıkları sorunları anlamaya ve aşmaya yönelik bir panel düzenlemişlerdi İstanbul'da. Etkinlik son derece başarılı geçmiş, farklı kesimlerden gelen insanlar kaynaşmış, dertlerini ve fikirlerini paylaşmışlardı. Günün sonunda bir kadın, eğitimli, şehirli, bakımlı bir kadın, arkadaşımın yanına gelir, gayet sevecen gülümser. Der ki: "Sizi tebrik ederim. Ne kadar anlamlı, faydalı, dolu dolu bir gün geçirdik beraber. Çayımızı, kahvemizi de içtik valla. Yahudi'siniz ama cimrilik yapmayıp bizi çok iyi ağırladınız."

Arkadaşım donakalır. Nutku tutulur. Kadın ise fark etmemiştir bile kırdığı potu, kaş yapayım derken göz çıkardığını. Gene öyle tatlı tatlı gülümseyerek uzaklaşır. Ne de olsa "fena" bir şey söylememiş, hakaret filan etmemiştir. Niyeti salihtir, ona göre. İncitici bir kültürel önyargıyı, ayrımcılık üstüne kurulu köhne bir düşünce kalıbını içselleştirmiş; sonra da düşünmeden, sonuçlarını tartmadan, karşısındaki insanı nasıl etkileyeceğini kavrayamadan uluorta telaffuz etmiştir sadece. "Masum"dur yani.

Ama öyle bir masumiyet ki çamlar devirir, kalpler incitir, duvarlar yükseltir, hudutlar çizer, öteler ve ötekileştirir. İnsanları yapay kategorilere ayırırken kendini diğerlerinden daha üstün bir yere yerleştirir. Tepeden bakar. Büyüklük taslar. Öyle bir masumiyet ki çöz çözebilirsen...

***

Van depremi sonrasında edebiyatseverlerden aldığım mesajlardan biri zihnimi kurcaladı durdu. Diyor ki genç okurum, son derece saygılı ve sevecen üslupla yazılmış mesajın sonunda: "Siz deprem sonrası medyada ve sosyal medyada yazılanları eleştiriyorsunuz. Herkese bir nazarla bakalım diyorsunuz. Anlıyorum tabii. Ama bir şeyi unutmayın. Biz Türk milleti olarak ne zaman Kürtlere güvendiysek sırtımızdan bıçaklandık. İhanete uğradık. Buna rağmen, bakın deprem oldu, polisimiz, doktorumuz, AKUT'umuz işbaşında. Gene de işte gidip yardım ediyoruz. Onlar bunu hak etmese de biz insanlık görevimizi yapıyoruz."

Ben bu paragrafı okuyup hüngür hüngür ağlamak istiyorum. Buradaki "iyi niyetli körlük"ten korkuyorum. Kendi baktığımız yerden bu kadar emin olabilmemiz, insanları ve toplulukları bu kadar rahat genelleyip öteleememiz beni ürkütüyor. O bahsettiği depremzedelerin yardımına koşan polisin, doktorların, hemşirelerin içinde Kürt de var, Türk de. Tıpkı ölenlerin arasında Türk de Kürt de, Alevi de Sünni de olduğu gibi.

Bu kadar basit bir noktayı bile göremedikten sonra. Hikâyelerimizin ve kaderlerimizin iç içe olduğunu göremedikten sonra... Bu tür söylemlerde bireylerin ve bireysel düzlemde kurulabilecek dostlukların da hiçbir önemi yoktur, sadece makro yargılara yer vardır. "Yahudiler cimri olur..." "Kürtler nankördür..." "Filancalar şöyledir..." "Ama büyüklük bizde kalsın..."

Ben bu yazıyı yazarken tesadüfen yan masada yemek yiyen iki kadının sohbetine kulak kabartıyorum. Biri diğerine anlatıyor: "Ay bilmiyor musun o gay! Sağır sultan bile duydu ayol." Sonra ekliyor mütebessim: "Gay ama çok iyi kalpli çocuk..." Gay fakat... Kürt fakat... Alevi fakat... Liberal fakat... Türbanlı fakat... AKP'li fakat... CHP'li fakat... Ermeni fakat... Rum fakat... Laz fakat...

Biz bu "fakat" cümlelerini kurmaya devam ettikçe kurtulamayacağız gündelik hayatlarımıza sızan ayrımcılıklardan, yüreklerimizi orta yerinden bölen fay hatlarından...

Kürtçe Âşık Olmak

Türkiye'de biz yeni nesil edebiyatçıların unutmamamız gereken bir hakikat var: Bizden önce gelen şair ve yazarların sırf kelimelerini özgür kılabilmek, kitaplarını serbestçe yazabilmek için verdikleri mücadeleler, ödedikleri büyük bedeller.

Kaç romancı ve öykücü sansüre uğradı; sılada gurbeti, sürgünde hasreti yaşadı? Kaç şair hapis yattı? Kaç sanatçının ruh ve beden sağlığı bozuldu? Gençken yaşlananların, vaktinden evvel solanların, yarınlara dair ümitlerini kaybedenlerin sayısı nedir bu topraklarda? Kaç yürek yaralandı? Kaç kelime sakıncalı bulundu? Ya da kaç nota? Kaç karikatür yasaklandı? Toplatıldı? Bastırıldı? Peki ya sonra...

Kitap yasaklamak, fikir yasaklamak, hayal gücünü yasaklamak bir toplumun kendi bindiği dalı elleriyle kesmesi demek. Aşağısı boşluk. Aşağısı yokluk. Seneler sonra, *"Mem û Zin* TRT 6'da dizi oluyor!" haberlerini okurken bunları düşünmeden edemiyorum. Merakla okumuştum vaktiyle Doğu'nun bu eski aşk hikâyesini.

Henüz üniversitede öğrenciydim. Böyle bir kitabın neden yasaklandığını, niçin damgalandığını anlayamadan bir solukta bitirmiştim. Bir tutku ve ayrılık öyküsüdür *Mem û Zin*. Hüzünlüdür, yaralıdır. Hem yerel motiflerle örülü, hem bir o kadar evrensel bir çığlıktır.

Mem û Zin gibi kadim bir sözlü gelenekten gelen bir hikâye nasıl yasaklanır? Hangi gerekçeyle? Yüzyıllardır zaten kuşaktan kuşağa aktarılan, anneanneler-dedelerce torunlara devredilen, dengbejlerle köyden köye, kasabadan kasabaya taşınan bir kültürel birikim. Xani, kendi eserinde bu destanı yüceltir. Yeniden hayat verir karakterlere. Ve anlattığı o bitimsiz kalp ağrısı, özlem ve elem öylesine tanıdık gelir ki dinleyicilerine, Mem ve Zin için gözyaşı dökerken kendi geçmiş imkânsız aşklarına da ağlarlar gizlice.

***

Edebiyat ve sanat dünyamızın en tutarlı, en aydınlık kalemlerinden Doğan Hızlan'ın, o her zamanki nazik, kalendermeşrep üslubuyla kaleme aldığı bir makale, biz edebiyatseverlere, bugünlere ne bedeller ödenerek gelindiğini hatırlattı: "Kitapları yasaklananlar, işsiz kaldılar, aç bırakıldılar. Hangi işe girseler arkadan polis gelir, işvereni uyarırdı."

Haklı... 1940-50 kuşaklarının yazar, gazeteci ve şairlerinin hayat hikâyelerini okumalı. "Bugün yasaklananlar, insanlığın birer anıtı olarak övülüyorlar, okunuyorlar; insanlık ve edebiyat tarihini nasıl yarattıkları okullarda okutuluyor."

O dönemlere bakınca bugün edebiyat âleminde kalem oynatan bizlerin ne kadar şanslı olduğunu düşünmeden edemiyor insan. Ama bu madalyonun sadece bir yüzü. Öteki yüzü ne yazık ki daha karanlık. Dün olduğu gibi bugün de kelimeler özgürce uçamıyor duru semada.

Adalet Bakanlığı, sıkıyönetim dönemlerinde yasaklanan yirmi binden fazla kitabı özgürleştirmek için adım attığında hepimiz buna sevinmiştik. Ama o günden bugüne, ifade ve basın özgürlüğünde uzun yollar kat edemedi Türkiye. Hâlâ şüpheyle bakılıyor kelimelere, harflere.

Hem Kürtçe hem Türkçe yazabilen, Kürtçe-Türkçe âşık olabilen, diller ve kültürler, hafızalar ve unutkanlıklar arasında köprüler kurabilen, iki tarafı da duyabilen sanatçılara o kadar ihtiyacımız var ki. Daha çok roman, daha çok film, daha çok albüm, daha çok sanat...

Kitapların yasaklanmadığı, gazetecilerin yazdıkları yazılardan dolayı tedirginlik yaşamadıkları, romancıların kendilerini sessizce sansür etmedikleri, şairlerin incinmediği, internet üzerinden nefret söylemlerinin örgütlenmediği, karikatüristlerin doya doya, gürül gürül mizah yapabildikleri, velhasıl sanatın ve edebiyatın özgür olduğu bir memleket, hangi görüşten ya da kesimden olursak olalım, hepimizin ama hepimizin hayrına.

Yaratıcılığın azaldığı topraklarda, bireyselliğe ket vurulan ortamlarda kimsenin özgür olması, kimsenin genç kalması mümkün değil.

Hikâyeler ve hayaller, eleştiriler ve analizler özgür oldukça, bizim gibi düşünmeyenlerin de kendilerini ifade hakkına sahip çıktıkça varabileceğiz gerçek bir demokrasiye.

Çünkü değişmedi dünyanın eski kanunu: Yasaklar, başka yasakları doğurur. Şiddet, şiddeti besler. Nefret söyleminden yepyeni nefret söylemleri çıkar. Sonra uyanır, bir derin uykudan silkiniriz. Ama olan, geçen baharlara, yıpranan hayatlara, kaybedilen zamana olur.

Rakamların Işığında Şiddet...

Rakamlar bazen korkutur. Duymak istemeyiz varlıklarını. Bilmemek daha kolay gelir. Kısa yoldur; kestirmeden, kolayca. Sapıveririz oraya. Cehaletin konforuna sığınırız. Tüyden hafif, kadifemsi. Ilıman iklimdir, bahar meltemi. Üşümez insan orada. Rakamlarla yüzleşmek istemeyiz. Ola ki ayna tutarlar yüzümüze, hallerimize. Ola ki görürsek hakikati, irkiliriz. Dünya üzerinde her sene yaklaşık iki milyon kız bebek, sırf cinsiyetlerinden dolayı anne karnındayken aldırılıyor. Bu gidişe bir son verilmezse bundan çok değil elli-yetmiş sene sonra bambaşka bir yer olacak bunu uygulayan ülkeler. Barış daha da zorlaşacak. Eski bir kelimeden ibaret kalacak sözlüklerde. Aşk daha da imkânsızlaşacak. Uzak bir hayal, yasak bir özlem. Kız ve erkek çocuklarımıza bir nazarla, pür muhabbetle bakamayışımız insanlığın da, doğanın da dengesini bozuyor.

Eşitliğin olmadığı yerde şiddet, eşitliğin olmadığı yerde husumet, eşitliğin olmadığı yerde nefret palazlanıyor. Türkiye'de günde üç kadın öldürülüyor. Her gün üç kadın aramızdan ayrılıyor. Kocaları, babaları, sevgilileri, nişanlıları, amcaları, eski kocaları, bazen de oğulları... En yakınlarındaki, belki de bir zamanlar en sevdikleri insanlarca katledilerek. Ve bizler devam ediyoruz hiçbir şey olmamış gibi yapmaya. Gözümüzde perdeler, vicdanlarımızda perdeler... Yaşananların çoğu sessizce, kimsesizce, öksüzce geçiştiriliyor, birkaç tanesi ise "vaka" oluyor gazetelerin üçüncü sayfalarında. "Görsel malzeme. Duygusal hikâyeler." Bakıp çeviriyoruz. Bakıp unutuyoruz. Ne de çabuk, ne de kolay. Yapacak daha mühim işlerimiz var çünkü. Meşgulüz hepimiz. Bunlara sıra gelene kadar... Türkiye'de muhafazakârlar da laikler de, solcular da sağcılar da, eğitimlisi de eğitimsizi de, yaşlısı da genci de, ka-

dına yönelik şiddet konusunda şaşırtıcı derecede benzer tavırlar, benzer vurdumduymazlıklar takınabiliyor. Türkler de, Kürtler de... Kaç kişinin derdi, yani hakikaten meselesi acaba kadınların gördüğü şiddet? Kaç kişi var bunları ciddiye alan? Ve bu uğurda bir şeyler yapan? Yapmazsa, geceleri yastığa başını koyduğunda rahat uyku uyuyamayan? Bana diyorlar ki: "Kadın konusunu ne kadar önemsiyorsunuz, yoksa feminist misiniz?"

Diyemiyorum ki: "Peki ya siz kimsiniz?" Çünkü, açıkçası, kadın hareketini küçümseyen birinin yanında gayet feminist olasım geliyor. Çünkü bu birikim, bunca emek, böylesine evrensel ve çıkışında haklı bir hareket, öyle ucuz lokma değil; kulaktan dolma birkaç kelimeyle, müstehzi tebessümlerle değerlendirilebilecek. Ama olur da dogmatik, hatta fanatik, her şeye tek açıdan bakan bir feministe rastlarsam şayet, bu sefer onun yanında da feminizmi kıyasıya sorgulayasım geliyor. Çerçeveler içinde çerçeveler... Bağlamlar içinde bağlamlar... Nüansları koruyabilmek için. Taraf olmak çok kolay ya, hele partizan, bu topraklarda. Arafta durmak en zoru ya. Birey olmak, birey kalmak hep bir dert ya, hep bir uğraş, mücadele. Farklı kesimlerin dogmatiklerine, şablonlarla konuşanlara ara tonların varlığını sürekli ama sürekli hatırlatmak gerekiyor. Çünkü hayat da, kâinat da nüanslarla nefes alıyor. Siyahlar ve beyazlarla boyanmamış mademki bu âlem.

***

Psychology Today, bilimsel bir dergide çıkan bir yazıdan hareketle çarpıcı bir istatistik yayımladı. Dünya genelinde işlenen şiddet vakalarının neredeyse yüzde doksanı erkekler tarafından işleniyor. Yüzde doksan... "Peki neden?" diye soruyor bu araştırmayı yürütenler. Cinayetler, savaşlar, soykırımlar, katliamlar, tecavüzler, tacizler... Neden ağırlıklı olarak erkekler tarafından başlatılıyor, erkeklerce işleniyor? İki cinsten birinden gelen bu yoğun fiziksel şiddeti (hele ki sözlü şiddeti) nasıl açıklamalı, nasıl azaltmalı? Diyorlar ki bu araştırmayı yürüten bilim adamları/kadınları, bu işi salt biyolojiye bakarak açıklayamayız. Şiddet son derece karmaşık bir mesele. Farklı kaynaklardan beslenen. Erkek şiddetini azaltmak için sırf erkekleri "reform"dan geçirmek yeterli olamaz. Ne de kadınları güçlendirmek buna tam bir çözüm sunabilir. Öte yandan bunları yapmak, bilhassa aile içi şiddetin azalmasında önemli rol oynayacaktır. Ama yetmez. Bir de kamusal alana taşınan şiddet var. Savaşları durdurmaz mesela. Ya da yeni savaşlar çıkarma eğilimini. Rus-Çeçen gerilimini örnek veriyorlar çokça. Senelerdir süregiden bu husumette, Çeçen intihar bombacılarının yüzde kırk üçü kadındı. Şiddete zemin sağlayan sebepleri ortadan kaldırmak en zoru, lakin en elzemi. Savaş söylemini, nefret kültürünü, "ben" ve "öteki" ayrımını... Sorgulamak elbirliğiyle, sorgulamak bitimsizce... Çünkü rakamlar parlak değil. Rakamlar yalan söylemiyor.

Kürtaj Üzerine Bir Yazı

Kürtaj üzerine yazmak kolay değil. Öyle konular var ki kamusal alana taşıması zor Türkiye'de. Bilhassa biz kadınlar için. Oysa gene öyle meseleler var ki en çok bizim konuşmamız, meramımızı anlatmamız lazım. Biz susarsak olmaz. Öyleyse yüksek sesle, samimiyetle, sükûnetle, vicdanımızın sesini dinleyerek kanaatimizi paylaşmalıyız. Ben bu yazıyı bu konuda kolay kolay konuşamayacak yüzlerce, binlerce, milyonlarca kadın olduğunu bilerek, bu bilinçle yazıyorum. Ve tek bir söz söylemek istiyorum: Kürtajı imkânsızlaştırmayın.

Yasaklarsanız şayet, kadınlar bundan büyük zarar görür. Üstelik parası pulu olan yahut aileden korunaklı veya varlıklı kadınlar değil. Diğerleri... Yani zaten şu hayatta en çok zorlanan, en çetrefil engellere göğüs geren, nice zaman tek başına didinen ve hırpalanan kadınlar... korunaksız kız kardeşlerimiz ve genç kızlarımız, en büyük karanlığı onlar yaşar. Kimselere anlatamazlar dertlerini.

Kürtajı yasaklamayın... Çünkü...

***

Erkek, kürtaj konusunda bir kere düşünürse kadın beş kere düşünür, on kere düşünür zaten. Etrafına anlatmaz o ayrı, ama çok düşünür. Söz konusu olan canından âlâ bir candır. Kâinatın hediyesidir her bebek. Bir kadın, öyle durup dururken, sırf canı istedi ya da o gün hayatın rüzgârı öyle esti diye gidip kürtaj olmaya kalkmaz. Hiçbir kadın bu konuyu hafife almaz, alamaz. Bedeninden, ruhundan, geleceğinden ve en saklı hayallerinden bir parçadır verdiği. Mümkün mü bu süreci küçümsemesi? Kürtaj konusu kadınlar için bir kamusal polemik değil, bir münakaşa nesnesi değil, alabildiğine özel ve derin ve son derece yaşamsal bir hususur. Hayat memat meselesidir. Velhasıl kadınlar zaten kürtaj olmayı kolay kolay akıllarına getirmez.

Bütün bunlara rağmen bir kadın, elbette yasal sınırlar içinde, gene de kürtaj olmayı seçerse, MUHAKKAK ama muhakkak ağır ve ciddi ve altından kalkamadığı bir sebebi vardır. Ülkemizde maalesef ensest, tecavüz, kadına karşı şiddet ve evlilik içi zorbalıklar kaygı verici boyutlarda yaşanmaktadır. Bunlar kanayan yaralarımız. Türkiye'nin hâlâ nice yerinde, dedikoduya sebep veren erkek elini yıkar, yürür gider. En ufak bir lekede kadın dışlanır, damgalanır, sonunda ya intihar eder ya ömür boyu acı çeker ya da namus cinayeti kisvesi altında en yakınındakiler tarafından öldürülür. Bütün bunların yaşandığı bir memlekette ve hep ama hep kadınların bedel ödediği bir kültürde kürtajı imkânsızlaştırmak demek kürtaj olgusunu ortadan kaldırmak demek değildir. Tam tersine, kürtajı yeraltına itmek demektir.

O zaman maddi durumu iyi olan kadınlar yurtdışına çıkar, orada kürtaj olur dönerler. Parasız ve desteksiz, her türlü ayrıcalıktan yoksun kadınlarımız ve gencecik kızlarımız ise ehil olmayan, hijyenik olmayan, yasadışı yerlere gitmeye başlarlar. Kadınlar canlarını ve sağlıklarını tehlikeye atar. Kürtajı imkânsızlaştırmak demek kadınlarımızı doktorların erişiminden uzaklaştırıp, kasapların ve et tacirlerinin ağına düşürmek demektir.

Lütfen unutmayalım ki ülkemizde kürtajın sınırları yasalarca belirlenmiştir. Bu sınırlar dışına çıkılmaması için tıbbi denetimler artırılabilir. Ama zaten kısıtlı olarak ve ilk haftalarda uygulanan kürtajı toptan yasaklamak veya nerdeyse imkânsızlaştırmak bir başka uca gitmek demek; aşırılıklardansa yalnızca aşırılıklar çıkar.

Elbette her canın yaşama hakkı var. Kâinatın her katresi kıymetli şüphesiz. Ama kürtaj hakkını ortadan kaldırmak kadınları azar azar öldürmek demektir. Bir can kurtaralım derken başka canlara kıymayalım.

Vicdanımızdaki Yangın

"Sivas davası zamana yenildi" diye yazmış gazeteler, internet siteleri. Sanmam ki zamanın böyle bir kudreti olsun. Adalet sistemimizi, hukuk anlayışımızı, bir türlü değişmeyen zihniyetlerimizi sorgulamamak için kendi dışımızda özneler arıyoruz ha bire. Arayınca buluyoruz da kolaylıkla. "Zaman", "kader", "hayat", "dünya"... Bu kavramları cümlelerimizin merkezine yerleştiriyoruz. Böyle yapınca kendimize eleştirel gözlerle bakmamız gerekmiyor nasıl olsa. "Hayat böyle!" diyoruz mesela; "Eh, dünyanın halleri" ya da "Kader işte" diyerek işin içinden çıkıveriyoruz; o da olmadı tutup, "Ne yapalım, zaman davayı düşürdü" diyoruz.

Kelimeleri gelişigüzel kullanıyoruz. Yazılı ve sözlü dil, resimler canlandırıyor gözümüzün önünde. Sanki "Sivas davası" tek başına mücadele veren bir bireydi; rüzgâra karşı, akıntıya karşı, cehalete karşı... Halbuki bu bir maç değildi. Ne de bir kavga ya da boks sahnesi. "Yenmek"ten ve "yenilmek"ten bahsetmeye gerek yoktu.

***

"Madımak" bir utançtır. Bu ülkenin büyük bir utancı. Ve bu davanın bu şekilde sonuçlanmış olması yara içinde yara, yangın içinde yangın, utanç içinde utançtı.

Ben utanıyorum. Çocuklarıma, çocuklarımıza bunu nasıl izah ederim bilemiyorum. Anadolu'nun bağrında, şiir ve müzik, sanat ve kültür için oraya misafir olarak giden bir avuç insana karşı gösterilen vahşet, şiddet ve tahammülsüzlük; birbirinden güç alanların, kolay galeyana gelenlerin linç girişimi; alevler ve dumanlar içinde can veren canlar...

Silindi mi hafızalarımızdan? Gözlerimiz unuttu mu gördüklerini? Burunlarımız unuttu mu olay yerindeki o yanık ve keder kokusunu? Kulaklarımız unuttu mu duydukları çığlıkları? Vicdanlarımız unuttu mu insanlığı?

Böyle bir dava nasıl zamanaşımına uğrar? Takvimde kaç yaprak, senede kaç bahar geçince unutulur bu katliam? Davada yargılananlar ister kamu görevlisi olsun ister sivil, işlenen suçun bir insanlık suçu olduğu hakikatini değiştirir mi? Göz göre göre kaçıp yurtdışına çıkanlar, "aranıyor" denildiği halde senelerdir evinde oturanlar... Hiçbirinin özrü yok, kabulü yok. 37 kişi... 37 hayat... Ölenlerin ana babalarının, eş ve çocuklarının, kardeşlerinin ve sevgililerinin gözlerinin içine bakabilecek miyiz? Yani gözlerimizi kaçırmadan?

Bu dava yeniden görülmeli.

Bir duvar yükselmekte önümüzde; bir camdan duvara geldik dayandık artık. Bu toplum, adalet sistemine güvenini yitirmek üzere. "Sistem böyle..." "Yasalar yetersiz..." "Hukukta boşluklar var..." Açıklamalar yetmiyor artık. Vicdanlarımızdaki yangın sönmüyor.

Türküler yandı Sivas'ta. Şiirler yandı.

Canlar yandı Sivas'ta. Umutlar yandı.

Beraber yaşama sanatımız yandı Sivas'ta. Muhabbet ve dostluk yandı.

***

Bundan sonra Aleviler, bu ülkenin adalet sistemine nasıl güvensin? Hrant Dink davasının aldığı seyirden sonra Ermeniler nasıl huzur içinde yaşasın? Peki Kürtler nasıl eşit olduklarına inansın? Öğrenciler yarınlara nasıl umutla baksın? Gazeteciler nasıl rahatça, dolaysızca yazsın? Uzadıkça uzuyor bu liste...

Bu kadar öfke ve isyan tohumu ekmek, bu kadar haksızlık ve adaletsizlik inşa etmek, bu kadar ailenin ortak hafızalarında elem biriktirmek, son tahlilde bu kadar ah almak, ister Doğu'da olsun ister Batı'da, hiç ama hiçbir ülkenin hayrına, yararına olamaz ki....

Utanıyorum bu yazıyı yazmaktan.

Utanıyorum...

Madımak'ta can verenleri rahmetle anıyorum.

Gergin İklimde Aklıselim, Ruhen Sakin Kalmanın Yolları

"70'lerde biz hep kızgındık, şimdi bakıyorum da bugünkü gençlerin sinirleri alınmış gibi. Ne öfkeleri var, ne kimseye karşı sivri bir eleştirileri. Sadece kendi âlemlerindeler. Bu arada dünya mı yandı, Ortadoğu'da savaş mı çıktı, ne gam. Bazen kızasım geliyor ama biliyorum ki böylesi daha emin. Yoksa kafayı yerlerdi, tıpkı bizim yediğimiz gibi... Varsın apolitik kalsınlar, daha iyi."

Böyle demişti vaktiyle 1968'li bir tanıdığım. Genç bir kız annesiydi. Elinde olmadan kendi çalkantılı ODTÜ yılları ile kızının arkadaşlarını, yeni kuşağı karşılaştırıyor; ikisi arasındaki en büyük farkın "temel bir öfke eksikliği" olduğuna inanıyordu.

Ne var ki zaman onu pek de haklı çıkarmadı. "Öfke" denilen yakıt dün olduğu gibi bugün de hayatımızın içinde, tamamen kaybolmadı. Doğu, Batı, Kuzey, Güney... Ortadoğu, Güney Amerika, derken İspanya, Yunanistan, İngiltere, Almanya, İtalya, Amerika... Madrid, Kahire, Londra, Berlin, Seattle, Delhi, Tel Aviv... Bugünün gençlerinin kızgın ve eleştirel olmadığını kim söyleyebilir ki? Tek farkla: Duygularını-fikirlerini ifade etme ve örgütlenme biçimleri alabildiğine farklı.

Ellerinde taşlar, sopalar yerine bilgisayar klavyeleri, cep telefonları. Bildiriler basmak yerine Facebook'ta, Twitter'da örgütlenen bir başka nesil geliyor. Yakın dönemin meşhur isimlerinden, tanınmış teorisyenlerinden ziyade on dokuzuncu yüzyıl filozoflarını, yazarlarını okumakta; tarihin gizli kuytularında ilham kaynağı bulmaktalar. Ve mesafeli bakmaktalar. Hem de pek çok şeye. En çok da onlara herhangi bir yarın vaat etmeyen bir gelecek fikrine.

Bir yandan büyüyen küresel ekonomik kriz, bir yandan Ortadoğu ve Kuzey Afrika'da peş peşe patlak veren halk ayaklanmaları, uzmanların beklentilerini aşan bir dinamizm ve daha-öte-demokrasi arayışı, sonuçta "Arap Baharı fenomeni" coğrafyalar ötesi bir boyuta taşmakta. Henüz ne adı konuldu bu durumun, ne yeterince analizi yapıldı. Ama bir konuda hemen herkes hemfikir: Protestolar organize etmek, geniş çapta kitleleri harekete geçirmek hiç bu kadar "kolay" ve kendiliğinden olmamıştı; gündelik hayatın içinden, hiçbir özneye atfedilemeden, adeta "anonim" bir halde gelişmemişti sosyal hareketler. Siyaset denilen mekanizma hiç böylesine "sanal" yaşanmamıştı.

Peki ya Türkiye? Biz bu genel tablonun neresindeyiz? Bunca kutuplaşmanın, karşılıklı birbirimizi yanlış anlamanın yaşandığı, aynı dili konuştuğumuz halde "çeviri hatalarıyla" yüklü gündemimizde; iniş çıkış ve çalkantının bir gün bile eksik olmadığı canım memleketimde, gerginlikler ve gelgitler arasında aklıselim ve ruhen sakin kalmanın yolları nedir? Arkadaşımın kızı için düşündüğü gibi "apolitik olmak" mı?

1970'lerin ardından, 1980 kuşağının siyasete ve dünyaya karşı tamamen kayıtsız ve duyarsız bir gençlik olduğunu sanmak kallavi bir hataydı. Kolaycılıktı. Bir yanlış analizin dışavurumuydu. Zira sanıldığı gibi hepten apolitik değildi yeni gelen kuşak. Politikanın tanımıydı değişime uğrayan; tanımı ve yapılma biçimi. Arayış, daha güzele ve daha öteye geçme özlemi hiç eksilmedi yoksa. 1980'lerin, 1990'ların ve 2000'lerin gençleri, taşları şaşırtıcı bir hızla yerinden oynayan, kati olan her şeyin buharlaştığı bir dünyanın torunlarıydı. Anne babaları bu yeni düzeni idrak etse de edemese de.

***

"Kimlik" kaskatı bir kelime. Ne var ki hep bir kimlik ve aidiyet atfetmek peşindeyiz kendimize ve birbirimize. Bilmek

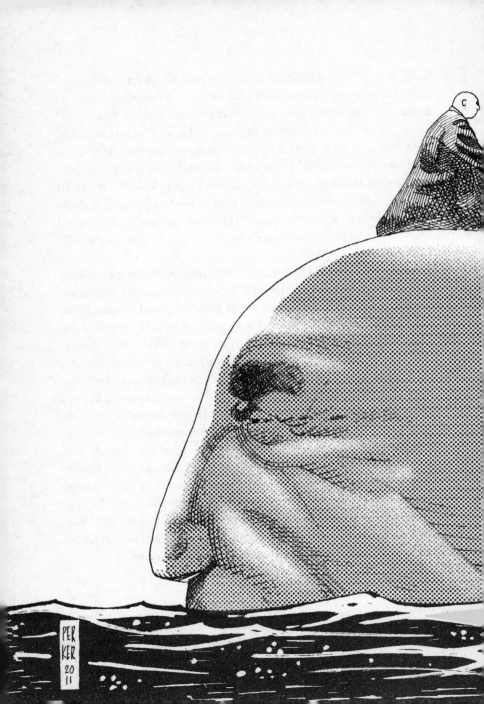

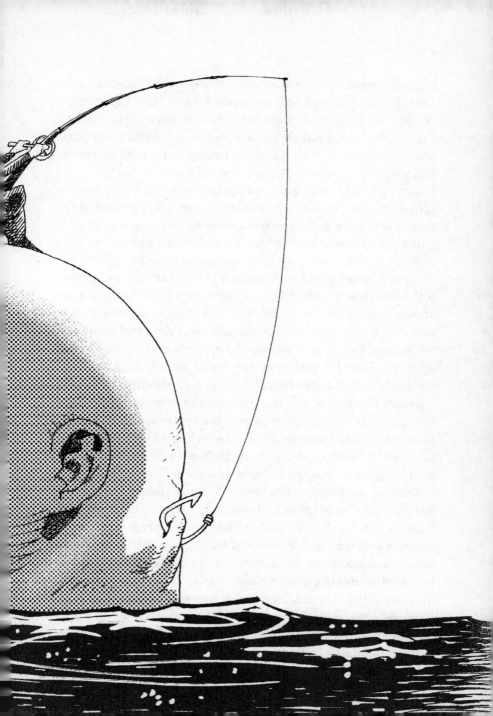

istiyoruz, sahi, "kimlerdensiniz?" Cevaba göre karar veriyoruz o kişiyle ahbaplık edip etmeyeceğimize. Eğer "biz"den ise ne âlâ, "eğer "onlar"dan ise uzak dursun kapımızdan istiyoruz. Kişiliklerden ziyade yaftalar belirliyor sosyal çevremizi. İlkelerden ziyade polemikleri konuşarak vakit kaybediyoruz. Boş yere. Ve ne yazık ki herkes çok ciddi.

Ben en çok bu sarsılmaz ciddiyetten ürküyorum, kendimizi bu kadar ciddiye almamızdan. O kadim, o derin mizah duygumuz zedeleniyor. Gülemez oluyoruz hallerimize. Daimi gerginliğin ve komplo teorilerinin olduğu yerde, gülmek de güldürmek de "kabahat" sayılıyor, uygunsuz kaçıyor.

Oysa dünya tarihinden biliyoruz ki çoğulculuğunun kıymetini bilmeyen, mizah duygusu darbe gören, farklılıklara ve ötekine zahmetsiz bir hoşgörüyle bakamayan toplumlar çok şeyler yitirirler uzun vadede. Ekonomik, toplumsal ve kültürel anlamda. Bugün New York, Amsterdam, Londra, Delhi, Sydney... Tüm bu şehirlerin bir temel özelliği farklılıklarla bir arada yaşama sanatında hayli yol kat edebilmiş olmaları.

Hasılı kelam, tek tek her birimizi esas sarsacak, düşünce kalıplarımızı zorlayacak olan şey, kendimize benzemeyen insanlarla diyalog kurabilmek. Tüm ailesi ya da yakın arkadaşları BDP'li bir genç de, konuştuğu herkes Türk milliyetçisi olan bir genç de durgun bir havuzda yüzmekte.

Kürtler ile Türkler, dindarlar ile agnostikler, Aleviler ile Sünniler, türbanlılar ile türbansızlar, muhafazakârlar ile liberaller... Kutupları ve kategorileri aşan ahbaplıklar, dostluklar kurmakta zorlanıyoruz gereksiz yere. Birbirimize yabancıyız, başkasının dertlerine bigâne. Siyasetin tanımının ve metotlarının değiştiği bir dünyada ayakta kalan temellerden biri uzlaşı ihtiyacı. Kendine benzemeyeni dinleyebilmek, kamusal alanda ideolojiler üstü ortak ve ahenkli bir dil kurabilmek ve en önemlisi, gergin zamanlarda aklıselim ve ruhen sakin kalabilmek ise başlı başına bir meziyet.

12 Eylül ve Anneannemin Duası

12 Eylül olduğunda henüz çocuktum. 1970 sonlarının Ankarası'ndan aklımda yer eden nice sahneden biri şöyle: Sıradan bir mahallede, bir grup çocuk, ellerinde ağaç dalları ve çubuklarla, korku, dehşet ve heyecan içinde bakıyoruz sokak ortasında yatan bir şeye. Ne yaklaşabiliyor, ne uzaklaşabiliyoruz. Hiçbirimiz gidip büyüklere haber vermek istemiyoruz; çünkü onları çağırmaya kalksak anında bizi durdururlar, biliyoruz. Kendi başımıza çözmemiz lazım bu ikilemi.

Bu kadar korktuğumuz cisim bir gofret. Parlak kırmızı kâğıda sarılı, çikolatalı gofret. Tembihlenmiş ya bizlere, hem de her gün her gece: "Evladım sokak ortasında bir paket görürsen sakın ha yaklaşma, bomba olabilir!"

Biz beş altı çocuk işte bu yüzden titreye titreye o gofretin etrafında dört dönüyoruz, uzanıp yemek istiyor ama cesaret edemiyoruz. Kim düşürmüş acaba bunu? Ya bombaysa, ya patlarsa, ya kolumuz bacağımız koparsa.

Ne akla hizmetse, komşunun bahçe duvarını siper edinip oradan taş atmaya başlıyoruz. Böyle bir on dakika geçiyor. Zavallı gofret taş darbeleri altında eziliyor, yırtılan paketten asfalta sızan erimiş çikolatanın görüntüsü hâlâ gözümün önünde. "Kolektif endişenin, çocuklara kadar sirayet eden toplumsal paranoyanın resmini yap" deseler, yerde ezilmiş bir gofret çizerim bugün.

Derken bir sabah radyoda marşlar. Anneannem pencerenin önüne oturmuş sessizce dışarı bakıyor. "Ne oldu?" diye soruyorum. "Asker geldi!" diyor. Neredeydi ki asker, nereye geldi? İyi mi, kötü mü anlayamıyorum ifadesinden. Sonra usulca dönüyor bana. "Dua edelim de kimsenin canı yanmasın" diyor.

***

Anneannemin duası ne yazık ki gerçekleşmedi. 12 Eylül çok can yaktı bu topraklarda, çok ah aldı.

Hapishanelerde, nezarethanelerde sistematik olarak işkence uygulandı. Aileler evlatlarını, gençler umutlarını, bir ülke yarınlarını kaybetti. Bunları o dönem konuşamadık. Çünkü hep "Ya gofretten bomba çıkarsa!" diye korktuk, korkutulduk. Terörü durdurmak için gelmişti ya ordu, şükran duymalıydık. Bir kuşak bu militarist söylemle büyüdük.

12 Eylül'ün ve tüm askeri darbelerin verdikleri hasarı açıkça konuşabilmemizi olumlu, ileri bir adım olarak görüyorum.

Militarizmin başat olduğu topraklarda, ordunun siyasete her an karışmayı kendinde hak gördüğü bir sistemde gerçek bir demokrasiden söz edilemez. Arjantin, Yunanistan, Portekiz ve nice ülke ancak askeri darbelerle yüzleşip bu dönemi tamamen geride bırakabildikleri için demokrasiye geçebildiler. Edebiyatta, sinemada, tiyatroda muazzam örnekleri var bu içsel sorgulamanın.

Topluma tepeden bakan, azınlıkları ve farklılıkları yekpare bir aynılık içinde eritmeye kalkan ve en önemlisi, kendi gibi düşünmeye tahammülsüz bir bakış açısı ne yazık ki geçmişle sınırlı kalmadı, bugün de siyasi yelpazenin çok farklı kesimlerinde zuhur edebiliyor. Sosyal demokratlar arasında da, muhafazakârlar arasında da. "12 Eylül ruhu" üzerine düşünmemiz lazım.

***

Şundan endişe ediyorum. "Bireylerden intikam almak", "isimlere hınçlanmak" gibi dürtülerle hareket edilirse, geçmişin hesabı bu şekilde sorulursa, bir kez daha anneannemin duası havada kalacak. Gene çok canlar yanacak. Gene aileler incinecek.

O yüzden, bir zihniyet ve toplumsal yara olarak 12 Eylül'ü konuşmaya, sorgulamaya ve beraberce ileriye bakmaya, evet. Ama insan avına, intikamcılığa, aşırıya kaçmaya, hayır.

Vazgeçebilmek

Vazgeçebilmek bir erdemdir. Bir deli güzel meziyettir ki insan kolay kolay kavrayamaz önemini. Gençken daha zordur buna vasıl olmak. Ama öyle gençler vardır ki ihtiyarlardan bilgedir, o başka. Geri kalan bizler seneler geçtikçe anlarız vazgeçebilmenin kıymetini. Hayat öğretir bize. Hayat ve bir de kronikleşmiş hatalarımız. Kimilerimiz ise hiçbir zaman öğrenemeyiz. Dersimizi almayız. Dün nasıl isek yarın da aynen öyle.

Vazgeçmek bir zayıflık belirtisidir zannediyoruz. Hatta bir nevi korkaklık, adeta âcizlik. Halbuki tam tersidir. Ancak kendine güvenen, karakteri sağlam ve komplekslerden arınmış insanlar vazgeçmenin erdemine vâkıf olabilirler.

Şu hayatta yaşadığımız sorunların çoğunu vaz-ge-çe-me-di-ği-miz için yaşıyoruz aslında. Israr ve inat ettiğimiz için. Takıntılarımızdan dolayı. Takıntı ile tutkuyu birbirine karıştırıyoruz sürekli, oysa ne kadar farklılar. Nasıl da zıt.

Seviyoruz diyelim, birini seviyoruz, hem de ne çok, ne derin, ölesiye. O kişi de aynı şekilde aşkımıza karşılık veriyor diyelim. Ama sonra, zamanla, tavsıyor muhabbet, örseleniyor. Kazara delinmiş bir balon gibi sürekli hava kaçırıyor, küçülüyor. Giderek canlılığını yitiren bir ateş gibi sönmeye yüz tutuyor. Gün geliyor, sevdiğimiz insan bizden ayrılmak istiyor. İnanamıyoruz. Yıkılıyoruz. Kalbimizin etrafında bir yumruk, demirden zırh gibi sıkıyor, nefes alınca bile canımız yanıyor. Dayanamıyor, heyheyleniyoruz. Kabullenemiyoruz. Israrla onu elimizde tutmaya çalışıyoruz. Sinirleniyor, öfkeleniyor, hatta sözlü ya da fiziksel şiddete başvuruyoruz. Gururumuza dokunuyor, nefsimize ağır geliyor böyle terk edilmek. İnsanız ne de olsa. Etten ve kemikten ve billur bir kalpten müteşekkil.

Peki ne yapmalı? Zor da olsa, bırakmak lazım. Gitmek istiyorsa sevgili, mademki budur gönlünün dilediği, dilinin söylediği, kenara çekilip yol açmak lazım gidene. Vazgeçebilmek. Aşk ancak özgürlükten doğar, özgürlükten beslenir. Özgürlüğün olmadığı yerde ne tam anlamıyla aşk vardır, ne dostluklar.

***

Diyelim bir mesleğimiz var, uzun zamandır icra ettiğimiz. Ama öylesine mutsuz ediyor ki bizi, içten içe kemiriyor. Kimse bilmiyor. Göremiyor. Lakin her gün kariyerimiz bizden bir şeyler koparıp alıyor. Etimizden et, ruhumuzdan ruh çalıyor. Gene de ısrar ediyoruz. Bırakmıyoruz. Değil istifa etmek, bir gün bile ayrı kalmayı aklımızın ucundan dahi geçirmiyoruz. Başka türlü yaşayamaz, var olamayız zannediyoruz.

Diyelim ki makam sahibiyiz. Nice işler yaptık bu koltukta. Bir bürokrat, bir politikacı, bir vali ya da bir okul müdürü. Ama öyle bir an geldi kapıya dayandı, gitme vakti çattı, seziyoruz. Artık yerimizi bir başkasına bıraksak daha iyi olacak sanki. Şu veya bu sebepten ötürü. Olmuyor. Yediremiyoruz kendimize. Yapamıyoruz işte. Kabuğuna tutunan midye misali elimizdeki otoriteye yapışıyoruz. Vazgeçemiyoruz.

Örselenmiş ilişkiler, tavsamış evlilikler, tekrara dayalı meslekler, yaşama sevincimizden çalan kariyerler... Hepsine aynen doludizgin devam ediyoruz, sırf ama sırf vazgeçemediğimizden.

***

Gabriel García Márquez en sevdiğim ve en dikkatli okuduğum yazarlar arasında oldu her zaman. Bende derin izi var. Bir söyleşisinde söylediği bir sözü hiç unutmam. Nasıl yazdığını soran bir gazeteciye şu cevabı verir: "Vazgeçerek!"

Yazarlar için en büyük sınavdır yazdığından vazgeçebil-

mek. Diyelim bir roman kaleme alıyorsunuz fakat bir yere gitmiyor. Ya da bir karakter geliştirdiniz, ancak bir türlü istediğiniz gibi olmuyor. Elinizde yüzlerce sayfa var. Kıyamazsınız atmaya. Silemezsiniz. İnat edersiniz o yolda. Halbuki Márquez diyor ki, bazen 120 sayfa yazar, 80 sayfasından pat diye vazgeçerim. Geriye kalan o 40 sayfa, işte odur yazarı bir sonraki aşamaya taşıyacak olan tılsım. Ama o 80 sayfayı atmadan bu 40 sayfayı bulamazsınız. Ormanda yolunu kaybeden yolcu gibi dolanır durursunuz. Çemberler çize çize. Vazgeçebilmek insana netlik getirir. Zihnimizi, kalbimizi gereksiz karmaşadan arındırır. Bir berraklık kalır geride. Hüzünlü bir durgunluk. Ama bir o kadar sakin, âlimane.

Demem o ki dostlar, vazgeçebilmek lazım. Eğer bir yol bizi mutlu etmiyorsa onda körü körüne sebat etmek yerine, nefsimizi kendimize rehber kılmak yerine, bırakabilmek lazım. Yazamadığımız kitapları, çekemediğimiz filmleri, geliştiremediğimiz projeleri, yürütemediğimiz meslekleri ve artık bizi sevmeyen sevgilileri bırakabilmek...

Vazgeçebilmek, bazen en güzeli!

DK'da yayımlanmış diğer kitapları

Pinhan

"Nicedir adını bekler dururdu. Velhasıl adı da onu. İşte bugün kavuştular birbirlerine. Adı Pinhan olsun bundan böyle" dedi.

Yazarın ilk romanı olan *Pinhan* 1998'de "Mevlâna Büyük Ödülü"nü aldı.

Şehrin Aynaları

Aynalar şehrine geldim çünkü benim hikâyemin önünü, benden evvel kaleme alınmış bir başka hikâye tıkıyor. Aynalar şehrindeyim çünkü bir kez şu bendi yıkabilsem sular çatlayacak, deli deli akacak; hissediyorum. Aynalar şehrindeyim çünkü ben bir korkağım; ve ne olduğunu bilen her korkak gibi, bu sırrı kendime saklıyorum.

Mahrem

Öyle güzel ki uçmak... Öyle güzel ki tüyden hafif, uçurtmadan serseri, buhardan oynak, toz zerresinden kıvrak, kar tanesinden savruk olabilmek gökkubbede. Niyetim daha, daha da yükseklere çıkmak. (...)

Mahrem 2000 yılında Türkiye Yazarlar Birliği Ödülü'nü aldı.

Bit Palas

Edebi ve yazınsal başarısı, Türk kimliğini ve ülkenin tarihine yaklaşımını edebiyat yoluyla yeniden tanımlayan genç kuşak yazarlar arasında Şafak'ı temsilci olarak öne çıkarıyor...
Bu roman enerji dolu ve gizemli bir yolculuğa davet ediyor insanı; tutkuyla, gülmeceyle ve Türkiye'ye dair bir dolu fotoğraf karesiyle...

The Independent

Araf

İyi de bir insana neden ömür boyu geçerli olacak şekilde tek bir isim veriliyordu başka bir isim de verilebilecekken, hatta isminin harfleri karıştırılıp aynı isimden yenileri türetilebilecekken? Kendimiz de dahil etrafımızdaki her şeyi yeniden adlandırma şansı ne zaman alınmıştı elimizden?

Med-Cezir

"Elif Şafak'ı yalnız romanlarından tanıyanlara, kafalarındaki fotoğrafın eksik karelerini tamamlamak için *Med-Cezir*'deki yazıları okumalarını salık veririm. Burada kanlı canlı, öfkesiyle, inadıyla, kırılganlığıyla, tutkularıyla velhasıl renginin bütün tonlarıyla Elif Şafak var."

Ali Çolak

Baba ve Piç

"Son derece güzel kurgulanmış... Bu canlı ve eğlenceli roman hem bir aile hikâyesi hem de kolektif bir tarihe uzanıyor. Aile hikâyesine güçlü ve nevi şahsına münhasır kahramanlar yön veriyor. Şafak'ın karakterlerine can veren güçlü dili, zihninizin kulaklarıyla duyabiliyorsunuz."

Alan Cheuse, *Chicago Tribune*

Siyah Süt

Bu kitap okunur okunmaz unutulmak için yazıldı. Suya yazı yazar gibi...
Siyah Süt kadınlığın, kadınların hayatının kasvetli ve karanlık ama son tahlilde geçici bir dönemiyle ilgili. Birdenbire gelen ve geldiği gibi hızla dalgalar halinde çekile çekile giden bir haletiruhiye burada incelenen. Bu kitap bir nevi tanıklık. Otobiyografik bir roman.

Aşk

"Cümlelerin güzelliği, dili inanılmaz bir yaratıcılıkla kullanıyor olması ve bunu şimdiye kadar yazdığı her şeyden üstün bir şekilde becermiş olması, bu romanı tek kelimeyle olağanüstü yapıyor. Yazarın kişiliğini en saf biçimiyle görebileceğimiz bir yapıt çıkarmış ortaya."

Taha Akyol, *Milliyet*

Kâğıt Helva

(...) Derken o yolculukta bir an geliyor, durup geriye bakma gereği duyuyorum. Geçtiğim yolları, uğradığım durakları, güzergâh boyu karşılaştıklarımı anımsıyorum. Bu kitap dünden bugüne yazdıklarımdan ufacık bir seçkidir. Bir alıntılar kitabı. Karın doyursun diye değil, tadımlık niyetine.

Firarperest

İnsan ki eşrefi mahlukattır, içindeki semavi özü keşfetmekle yükümlüdür. Çıkacaksın yollara, kendine doğru git gidebildiğin kadar. Keşif boynumuzun borcudur. Kendimizi keşfetmek, aşkı keşfetmek, dünyayı keşfetmek, ötekini keşfetmek...

İskender

Aşkı aramadan evvel düşün bir, ya benden nasıl bir âşık olur? İnsanın sevdası karakterinin yansımasıdır. Sen kavgacı isen, ha bire öfkeli, aşkı da bir cenk gibi yaşarsın. Gönlü pak olanın sevgisi de saf olur.
Şu hayatta insan en çok sevdiklerini acıtır. En derin yaralar ailede açılır. Kabuk tutsa bile kanar hikâye içten içe...

http://www.facebook.com/elifshafak
http://www.twitter.com/Elif_Safak